Vivre vite

De la même autrice

La Chambre des parents, Fayard, 1997 ; Le Livre de poche, 2009.

Nico, Stock, 1999 ; Le Livre de poche, 2001.

À Présent, Stock, 2001 ; Le Livre de poche, 2003.

Marée noire, Stock, 2004 ; Le Livre de poche, 2005.

J'apprends, Stock, 2005 ; Le Livre de poche, 2007.

L'amour est très surestimé (recueil de nouvelles), Stock, 2007 (Goncourt de la nouvelle) ; J'ai lu, 2008.

Une année étrangère, Stock, 2009 (prix Jean Giono) ; J'ai lu, 2011.

Avec les garçons, suivi de *Le Garçon* (recueil de nouvelles) ; J'ai lu, 2010.

Pas d'inquiétude, Stock, 2011 ; J'ai lu, 2013.

Avoir un corps, Stock, 2013 ; J'ai lu, 2015.

Nous serons des héros, Stock, 2015 ; J'ai lu, 2016.

Un loup pour l'homme, Flammarion, 2017 ; J'ai lu, 2018.

Jour de courage, Flammarion, 2019 ; J'ai lu, 2021.

Brigitte Giraud

Vivre vite

Flammarion

Livres cités dans cet ouvrage :

Psychotic Reactions & autres carburateurs flingués, Lester Bangs,
  Tristram, 2006 ; Souple, 2013.
La folie maternelle : un paradoxe ? de Dominique Guyomard
  in *La folie maternelle ordinaire*, sous la direction de
  Jacques André et Sylvie Dreyfus-Asséo, PUF, 2006.
Sarinagara, Philippe Forest, Gallimard, 2004 ; Folio, 2006.

L'autrice a bénéficié d'une aide du Centre national du livre
pour l'écriture de ce texte.

À Théo

Écrire, c'est être mené à ce lieu
qu'on voudrait éviter.

Patrick Autréaux

Après avoir résisté pendant de longs mois, après avoir ignoré jour après jour les assauts des promoteurs qui me pressaient de leur céder les lieux, j'ai fini par rendre les armes.

Aujourd'hui j'ai signé la vente de la maison.

Quand je dis la maison, je veux dire la maison que j'ai achetée avec Claude il y a vingt ans, et dans laquelle il n'a jamais vécu.

À cause de l'accident. À cause de ce jour de juin où il a accéléré sur une moto qui n'était pas la sienne sur un boulevard de la ville. Inspiré par Lou Reed, peut-être, qui avait écrit : *Vivre vite, mourir jeune*, des choses comme ça, dans le livre que Claude lisait alors, que j'ai retrouvé posé sur le parquet au pied du lit. Et que j'ai commencé à feuilleter la nuit qui a suivi. *Jouer au méchant. Tout saloper.*

J'ai vendu mon âme, et peut-être la sienne.

Le promoteur a déjà acheté plusieurs parcelles dont celle du voisin sur laquelle il projette de construire un immeuble qui viendra dominer le jardin, qui viendra plonger sur mon intimité du haut de ses quatre étages, et aussi masquer le soleil. C'en est fini du silence et de la lumière. La nature qui m'entoure se changera en béton et le paysage disparaîtra. De l'autre côté, il est prévu que le chemin devienne une route, qui empiétera chez moi, pour favoriser l'accès au quartier à vocation désormais résidentielle. Le chant des oiseaux sera recouvert par des bruits de moteurs. Des bulldozers viendront raser ce qui était encore vivant.

Quand nous avons acheté, Claude et moi, cette année 1999 où les francs se convertissaient en euros et où le moindre calcul nous obligeait à une règle de trois infantilisante, le plan d'occupation des sols (ou POS) indiquait que nous étions en *zone verte*, autrement dit, que le secteur n'était pas constructible. Le propriétaire de la maison voisine nous informait qu'il était interdit de couper un arbre, sous peine de devoir le remplacer. Chaque once de nature était sacrée. C'est pour cela que ce lieu nous avait séduits, on pourrait y vivre caché, à la lisière de la ville. Il y avait un cerisier devant les fenêtres, un érable qu'une tempête a déraciné l'année où je suis retournée en Algérie, et un cèdre de l'Atlas, dont j'ai appris récemment que la résine était utilisée pour embaumer les momies.

D'autres arbres ont été plantés, par moi, ou ont poussé seuls, comme le figuier qui s'est invité contre le mur du fond, chacun raconte une histoire. Mais Claude n'a rien vu de cela. Il a juste eu le temps de visiter en poussant des sifflements d'enthousiasme, de constater l'ampleur des travaux à envisager, et de repérer l'endroit où il pourrait garer sa moto. Il a eu le temps de mesurer les surfaces, de se projeter dans l'espace en dessinant quelques gestes dans les airs, de signer chez le notaire, d'ironiser dans le bureau du Crédit mutuel au moment de répartir le pourcentage de l'assurance du prêt sur nos deux têtes. Les lieux avaient un fort potentiel, comme on dit dans le jargon immobilier. Cette affaire de rénovation nous électrisait. On pourrait écouter la musique fort sans gêner ce voisin qui comptait les arbres et dont le vaste terrain s'étendait derrière une haie naturelle. On pourrait poser nos valises pour une vie entière et faire des plans sur la comète, à gogo.

J'ai emménagé seule avec notre fils, au cœur d'un enchaînement chronologique assez brutal. Signature de l'acte de vente. Accident. Déménagement. Obsèques.

L'accélération la plus folle de mon existence. L'impression d'un tour de grand huit, cheveux au vent, avec la nacelle qui se détache.

J'écris depuis ce décor lointain où j'ai atterri, et d'où je perçois le monde comme un film un peu flou qui a longtemps été tourné sans moi.

La maison était devenue le témoin de ma vie sans Claude. Une carcasse qu'il m'avait fallu apprendre à habiter. Et dans laquelle j'avais abattu des cloisons avec de grands coups de masse à la hauteur de ma colère. C'était une maison un peu bancale, avec son terrain à défricher que nous avions espéré transformer en jardin. Au lieu de rénover, j'avais eu l'impression de défoncer, de saccager, de déclarer la guerre à ce qui me résistait, le plâtre, la pierre, le bois, des matières que je pouvais martyriser sans que personne me jette en prison. C'était ma vengeance minuscule face au destin, mettre des coups de pied dans la tôle d'une porte battante, des coups de cisaille dans une toile de jute crasseuse, casser des vitres en poussant des cris.

Vivre vite

Tout en tentant de préserver un cocon au cœur du chaos, pour que notre fils y dorme à l'abri. Un petit terrier aux couleurs vives, avec des couettes et des oreillers de plume, des dessins accrochés malgré tout au-dessus du lit, et de la moquette épaisse, un rempart contre la peur et les fantômes de la nuit.

Au fil des ans, j'ai fini par apprivoiser cette maison que j'avais prise en grippe. Après avoir habité les lieux en somnambule, après avoir confondu le matin et le soir, j'ai cessé de me cogner aux murs et j'ai commencé à les repeindre. J'ai arrêté de massacrer les cloisons et les faux plafonds, de considérer chaque mètre carré comme une puissance ennemie. J'ai calmé ma furie et j'ai accepté d'enfiler le costume d'une personne fréquentable. Il me fallait revenir au marché des vivants. Celui qui disait que j'étais veuve, je le passais au lance-flammes. Sidérée de chagrin oui, veuve non.

Mais il me fallait encore venir à bout des mauvaises herbes qui envahissaient le jardin. Pendant des mois, j'ai arraché tout ce qui me passait sous la main, en des gestes répétitifs et inquiétants, j'ai appris le nom du chiendent officinal, de l'ortie brûlante ou du pourpier, que j'ai fait flamber dans des brasiers clandestins à la nuit tombée (on n'avait pas le droit de faire du feu à cause des particules fines). J'ai éradiqué les plantes invasives comme l'ambroisie et le lierre qui rampait dans l'ombre et, à force de traquer les indésirables, j'ai éclairci la parcelle de terrain en même temps que je chassais les ombres sous mon crâne.

Petit à petit, je me suis mise à habiter *bourgeoisement* les lieux, comme l'enjoignait l'une des clauses du contrat d'assurance que j'avais souscrit pour nous protéger en cas d'incendie, de dégâts des eaux ou de cambriolage (un malheur n'en a jamais empêché un autre, selon la fameuse loi de Murphy qui ne m'avait pas échappé). Je devenais moins enragée et je parvenais à dessiner les plans des deux niveaux, tels que nous les avions imaginés, Claude et moi. Je savais exactement ce qu'il aurait aimé, les matériaux auxquels il avait songé, je consultais les pages que nous avions cornées dans le catalogue Lapeyre. J'avais fini par retrouver mes esprits puis par rencontrer les artisans qui viendraient couler une dalle, changer une poutre ou carreler un sol abîmé. Qui viendraient refaire la salle de bains ou installer le chauffage central. Peut-être qu'un jour j'aurais à nouveau envie de prendre un bain.

Il m'est arrivé d'éprouver du plaisir en choisissant une couleur, en harmonisant une peinture avec le bois d'une porte. Il m'est arrivé de trouver belle la façon dont la lumière rasante entrait dans la cuisine juste avant le repas du soir.

Mais je ne comprenais pas à qui s'adressait cette lumière. Je préférais les jours de pluie, qui au moins ne prétendaient pas me divertir de ma tristesse. J'avais décidé que la maison serait ce qui me relierait à Claude. Ce qui donnerait un cadre à cette vie nouvelle que notre fils et moi n'avions pas choisie. Il s'agissait encore de *notre fils* alors qu'il faudrait apprendre à dire *mon fils.* Comme il me faudrait finir par dire *je* à la place de ce *nous* qui m'avait portée. Ce *je* qui m'écorchera, qui dira cette solitude que je n'ai pas voulue, cette entorse à la vérité.

J'ai maintenu l'idée de créer le petit studio d'enregistrement, dont Claude avait envie depuis longtemps. Une pièce insonorisée où il avait espéré pouvoir s'isoler pour travailler. Et qui aurait contenu les instruments qu'il possédait, une basse, une guitare, et le synthétiseur qu'il venait juste d'acquérir (un Sequential Circuit Six-Tracks, pardon de le mentionner, mais cela a son importance), sur lequel il pianotait avec un casque sur les oreilles.

J'avançais patiemment, il me faudrait presque vingt ans pour venir à bout de toutes les pièces, toutes les surfaces, je n'ai changé les fenêtres que l'an dernier. Je viens juste de repeindre les volets. Si j'avais su, toute cette peine pour qu'un promoteur finisse par tout raser. Je n'ai jamais fait ravaler la façade, toujours dans son jus un peu sale. Cela coûtait trop cher. Je n'ai jamais fait poser la terrasse de bois, comme nous l'avions projeté. J'ai eu tellement raison.

Ce qui m'importait était autre. Je n'étais obsédée que par une chose que je tenais secrète pour ne pas effrayer mon entourage. Je n'en parlais pas, ou plutôt je n'en parlais plus, parce qu'au-delà de deux ou trois ans, cela aurait semblé suspect que je m'entête à vouloir comprendre comment était arrivé l'accident. Un accident dont on n'a jamais expliqué la cause, ce qui fait que mon cerveau n'en a jamais fini de galoper.

Il m'avait fallu tout ce temps pour savoir si ce mot, destin, que j'entendais prononcer ici ou là, avait un sens. Au moment où je suis obligée de quitter les lieux, pour qu'une route soit construite à la place de la maison, il me faut faire un dernier point, qui me permettra de clore l'enquête. C'est un comble qu'une route me passe dessus, après que Claude est mort sur la route. Une route au moment où la planète crève de toutes ces routes qui accélèrent la consommation de gaz carbonique. Claude aurait ri de cette ironie du sort. Le livre du critique rock américain Lester Bangs qu'il était en train de lire, posé au pied du lit, avec cette phrase de Lou Reed – d'abord attribuée à James Dean – que j'avais repérée, a comme titre *Psychotic Reactions & autres carburateurs flingués*. Une histoire de carburateurs, on n'en sort pas.

Je fais une dernière fois le tour de la question, comme on fait le tour du propriétaire, avant de fermer définitivement la porte. Parce que la maison est au cœur de ce qui a provoqué l'accident.

Si je n'avais pas voulu vendre l'appartement.

Si je ne m'étais pas entêtée à visiter cette maison.

Si mon grand-père ne s'était pas suicidé au moment où nous avions besoin d'argent.

Si nous n'avions pas eu les clés de la maison à l'avance.

Si ma mère n'avait pas appelé mon frère pour lui dire que nous avions un garage.

Si mon frère n'y avait pas garé sa moto pendant sa semaine de vacances.

Si j'avais accepté que notre fils parte en vacances avec mon frère.

Si je n'avais pas changé la date de mon déplacement chez mon éditeur à Paris.

Si j'avais téléphoné à Claude le 21 juin au soir comme j'aurais dû le faire au lieu d'écouter Hélène me raconter sa nouvelle histoire d'amour.

Si j'avais eu un téléphone portable.

Si l'heure des mamans n'avait pas été aussi l'heure des papas.

Si Stephen King était mort dans le terrible accident qu'il avait eu trois jours avant Claude.

S'il avait plu.

Si Claude avait écouté *Don't Panic* de Coldplay, et non pas *Dirge* de Death in Vegas, avant de quitter le bureau.

Si Claude n'avait pas oublié ses 300 francs dans le distributeur.

Si Denis R. n'avait pas décidé de ramener la 2CV à son père.

Si les journées qui ont précédé l'accident ne s'étaient pas emballées dans une suite d'événements tous plus inattendus les uns que les autres, tous plus inexplicables.

Et surtout, pourquoi Tadao Baba, cet ingénieur japonais plein de zèle qui a révolutionné l'histoire de la firme Honda, entre-t-il par effraction dans mon existence, alors qu'il vit à dix mille kilomètres.

Pourquoi la Honda 900 CBR Fireblade (Lame de feu), fleuron de l'industrie japonaise, sur laquelle roulait Claude ce 22 juin 1999, était-elle réservée à l'exportation vers l'Europe et interdite au Japon, parce que jugée trop dangereuse.

Je reviens sur la litanie des « si » qui m'a obsédée pendant toutes ces années. Et qui a fait de mon existence une réalité au conditionnel passé.

Quand aucune catastrophe ne survient, on avance sans se retourner, on fixe la ligne d'horizon, droit devant. Quand un drame surgit, on rebrousse chemin, on revient hanter les lieux, on procède à la reconstitution. On veut comprendre l'origine de chaque geste, chaque décision. On rembobine cent fois. On devient le spécialiste du *cause à effet*. On traque, on dissèque, on autopsie. On veut tout savoir de la nature humaine, des ressorts intimes et collectifs qui font que ce qui arrive, arrive. Sociologue, flic ou écrivain, on ne sait plus, on délire, on veut comprendre comment on devient un chiffre dans des statistiques, une virgule dans le grand tout. Alors qu'on se croyait unique et immortel.

Sɪ

1. Si je n'avais pas voulu vendre l'appartement

Depuis notre rencontre dans une banlieue de Lyon, qui se nomme Rillieux-la-Pape, assez peu célèbre parce qu'il y a brûlé nettement moins de voitures qu'à Vaulx-en-Velin depuis les années quatre-vingt, Claude et moi avions tout fait pour la quitter et emménager dans le centre de Lyon.

J'avais aimé cette période où je partais en quête de petites annonces pour repérer les appartements qui répondaient à nos fantasmes. Nous rêvions d'arrondissements en effervescence, remplis de ces cafés, cinémas et boutiques qui nous avaient fait défaut dans notre ZUP. Nous voulions l'inverse de la cité-dortoir où nous avions grandi, ces HLM dupliqués par dizaines et faits d'un béton armé tiré au cordeau.

J'avais trouvé une location sans trop de difficultés (c'était le début des années quatre-vingt) et nous avions emménagé dans une vaste surface défraîchie, dont le loyer ridiculement bas nous avait attirés (400 francs mensuels, j'ai encore les quittances de loyer), en plus de deux colonnes de stuc très kitch qui donnaient au salon des allures de faux palais, et un parquet de chêne qui faisait illusion. Il était temps d'en finir avec le lino qui avait été notre ordinaire et le chauffage par le sol qui avait fait gonfler les jambes de nos mères. Nous étions à ce point ébahis que notre dossier ait été retenu que nous ne remarquions pas l'absence de radiateurs, les fenêtres si peu étanches, et la façade de l'immeuble d'en face à moins de cinq mètres, qui masquait la lumière et abritait un hôtel de passe.

Nous étions les premiers de notre bande de *zupiens* à migrer vers le centre-ville et à décrocher le graal, un appartement suffisamment spacieux pour recevoir les amis, et constituer une base près du métro Hôtel-de-Ville. Autrement dit, un spot idéal pour des soirées, des concerts improvisés, ou pour loger qui en avait besoin.

Mais la chance avait vite tourné.

Nous avions rapidement été expulsés pour cause de gentrification, un terme que nous ne connaissions pas à l'époque de nos vingt ans, mais qui a déterminé notre parcours. Le promoteur qui avait racheté l'immeuble pour rentabiliser les surfaces habitables nous proposait de nous reloger, comme la loi l'exige, mais à Vénissieux, autre banlieue bien connue pour ses nuits agitées et ses tours de quinze étages que la politique de la ville vouerait bientôt au dynamitage. Nous n'envisagions pas un retour en périphérie, là où l'on semblait vouloir nous renvoyer de force, et il nous avait fallu nous battre pour demeurer dans le centre-ville.

Après avoir été nouvellement congédiés d'une location sur les quais par un propriétaire peu scrupuleux, nous avions appris le suicide de mon grand-père, sans que les faits soient liés, comme ma phrase pourrait le laisser entendre. Le point commun, si l'on fait un zoom arrière, est que mon grand-père maternel, parfait exemple de l'exode rural qui le fit arriver dans l'agglomération lyonnaise dans les années cinquante, avait emménagé avec sa famille dans une petite maison sur les bords du Rhône, sur la commune de Saint-Fons, là où le groupe pharmaceutique Rhône-Poulenc, qui turbinait alors à fond (racheté depuis par Sanofi Aventis), envisageait d'agrandir son site. Quelques années plus tard, mes grands-parents avaient dû céder la place aux bulldozers, pour se retrouver au pied des tours de Vénissieux où l'on destinait ceux qui étaient en rupture d'origine, Auvergnats, Algériens, Marocains ou Portugais, et qui n'oseraient pas se plaindre de respirer l'air saturé de sulfure d'hydrogène rejeté par la raffinerie de Feyzin, toute proche. Après la mort de ma grand-mère, qui ne savait plus où étendre ses lessives à cause de l'odeur d'œuf pourri qui imprégnait le linge, et qui avait précocement contracté une leucémie, après d'autres péripéties qui seraient trop périlleuses à raconter, mon grand-père s'était jeté dans l'eau du Rhône. On avait retrouvé son corps et ses papiers d'identité au barrage de Pierre-Bénite, en pleine vallée de la pétrochimie.

Est-ce à cause de ce déterminisme et de l'argent que j'ai reçu de ma mère au moment de la succession que Claude et moi étions devenus propriétaires ? Était-ce pour ne pas risquer d'être mis dehors encore une fois ? Nous avions peut-être voulu calmer le jeu, et sans doute calmer autre chose, une sorte d'inquiétude dont nous n'avions pas même conscience et qui, pour Claude, s'abreuvait à l'exil, puisqu'à l'âge de quatre ans il avait été

30

embarqué sur un bateau en provenance d'Algérie, un pays qu'il ne reverrait pas.

Devenir propriétaire n'est sans doute pas seulement le symbole idéologique que l'on croit.
Nous avons acheté un appartement dans le quartier de la Croix-Rousse à la famille Boubeker qui quittait les lieux parce qu'elle attendait un nouvel enfant. Nous y sommes restés dix ans et avons mis presque autant de temps à le rénover. Ce qui était le lot des gens de notre génération, les trentenaires qui achetaient, puis transformaient des *canuts*, c'est-à-dire des surfaces qui avaient, au XIXᵉ siècle, abrité des ateliers de soierie et dont la généreuse hauteur sous plafond permettait l'installation de métiers à tisser et le couchage des soyeux. Depuis l'époque des canuts, le quartier avait changé, gardant malgré tout son lot d'ouvriers et d'immigrés. Nous étions nombreux à vouloir remanier les lieux, à décaper, repeindre, aménager des cuisines américaines, et arracher les lattis des faux plafonds que les propriétaires du milieu du XXᵉ siècle avaient tendus pour cacher les poutres à la française, très peu en vogue à l'époque des Trente Glorieuses.

La mode avait changé, le mot d'ordre était à présent à l'authenticité, et le nec plus ultra des années quatre-vingt-dix consistait au contraire à rendre les poutres et les pierres apparentes. C'est ce que nous nous étions efforcés de faire, Claude et moi, quitte à y passer nos week-ends, dans une euphorie légère, copieusement shootés par le Xyladecor que nous utilisions pour traiter les surfaces de bois. Juchés sur le petit échafaudage loué chez Kiloutou, nous écoutions la musique de Nirvana dans nos combinaisons de travail. Nous éprouvions la joie d'avoir un *chez-nous* pour la première fois. Nous croyions en la beauté, persuadés que nous allions changer les lieux en un temple du bon goût. Nous étions amoureux et nous n'avions aucun obstacle devant nous.

Notre fils est né, portant notre énergie à son incandescence. Il dormait dans l'unique chambre, dont nous avions refait le papier peint, et nous sur la mezzanine, un peu comme les canuts au XIXe. C'était l'ordinaire des gens du quartier, qui trouvaient tellement romantique de grimper à l'échelle, même pour aller pisser à trois heures du matin. Nous imaginions avoir le monopole de l'art de vivre. Nous étions des gens cool et sûrs de nous.

Je peux affirmer ici que c'était la vie parfaite. Cela a duré dix ans.

Je ne sais pas ce qui m'a pris de vouloir changer quelque chose à cet équilibre.

Parce que cette envie de déménager, elle était venue de moi. Cette envie de bouger, de tout recommencer. De monter d'un cran dans la *coolitude*. De viser la perfection, tant qu'à faire.

J'invoquais cette échelle, tout de même, qu'il fallait se coltiner au cœur de la nuit, le manque d'intimité et la chambre qui viendrait à manquer si nous avions ce deuxième enfant auquel nous songions.

C'est dans cet intervalle que j'ai commencé à écrire, dans ce temps de latence et de doute, où il manquait, croyais-je, une dimension à l'existence.

2. Si mon grand-père ne s'était pas suicidé

Il n'y a pas d'ordre, ni chronologique ni métho-dologique, à l'enchaînement des événements. Seu-lement des vagues qui se profilent depuis l'horizon, bien visibles sur leurs lignes de crête, le plus sou-vent inoffensives parce que prévisibles, vaguelettes ou rouleaux peu importe, et puis il y a ces lames de fond, qu'on n'a pas vues venir, qui enflent et viennent vous engloutir quand vous avez le dos tourné.

La mort de mon grand-père n'a peut-être rien à voir avec tout cela. Elle n'a rien généré d'autre, en apparence, qu'une somme d'argent. Rien de remar-quable si ce n'est que l'argent, il faut bien l'employer, il faut savoir le convertir sans prendre le risque de le perdre. Quoi de mieux que la pierre pour placer son magot, puisque aux mécaniques de la finance, la classe sociale à laquelle j'appartiens n'y comprend rien et s'en méfie comme de la peste. « Magot » est un bien grand mot, puisqu'il s'agissait d'une somme modeste mais néanmoins compacte, c'est-à-dire versée en une fois par ma mère soucieuse de ne pas toucher à son héritage.

Bref, cet argent donné par ma mère, en deux parts égales, à ses deux enfants, a constitué l'exacte somme qu'il fallait pour réaliser le fameux apport personnel sans lequel Claude et moi aurions été incapables de nous lancer, comme il était d'usage de nommer ce saut vers la propriété. Acheter pour ne plus être mis dehors, très bien, pour commencer à construire les bases d'une vie à deux, parfait, encore fallait-il en avoir les moyens.

Si mon grand-père n'avait pas mis fin à ses jours prématurément, nous n'aurions pas pu envisager cette première acquisition, puis revendre, puis racheter. Et jamais, au fil du temps, nous n'aurions mis les pieds dans cette vaste maison avec garage qui sera à l'origine de l'accident.

Mais mon grand-père n'est pas le seul responsable de cet argent qui nous tombait pour ainsi dire dessus. L'autre grand ordonnateur, et sans doute le plus terrible, est la spéculation immobilière qui commençait à faire tourner les têtes à la fin des années quatre-vingt. Tu achètes 320 000 francs, dix ans plus tard tu revends le double. Banco. Nous étions entourés de petits malins qui se la racontaient et, même si nous prétendions ne pas manger de ce pain-là, nous finissions par sortir la calculette et deviser sur le prix au mètre carré après rénovation. La tentation était grande de réaliser *la culbute* (les expressions ne manquaient pas pour désigner les *coups de fusil* que les uns et les autres commençaient à opérer sans scrupules ici et là, y compris parmi nos amis très à gauche). Et même si nous n'étions pas si mal dans notre *canut* à mezzanine, nous finissions par nous laisser gagner par ces injonctions d'expansion, et d'argent facile.

Sauf qu'il fallait se reloger, et ce qui était cher à la vente était cher à l'achat, mais c'était un genre de défi excitant, je serais malhonnête si je prétendais le contraire.

Claude me laissait faire, avec cette douceur et cette désinvolture qui le caractérisaient. Si j'avais l'énergie de revendre l'appartement, si j'avais l'énergie de tout reprendre à zéro. *Pourquoi pas.*

C'était une expression qu'il employait quand il n'était pas contre. *Pourquoi pas.*

Il écoutait Oasis et me racontait la brouille entre les frères Gallagher, le chanteur Liam et le guitariste Noël. Il montait le volume le soir dans la cuisine, là où il avait installé le lecteur CD et où il me faisait découvrir les bandes-son de l'époque. Blur ou Oasis ? Comme s'était demandé la génération précédente : Rolling Stones ou Beatles ? C'étaient les questions qui le passionnaient. Plus que les murs avec pierres apparentes ou les châteaux en Espagne. Même s'il était un bricoleur méticuleux, et s'il aimait s'agenouiller devant sa boîte à onglets. *Pourquoi pas.*

J'avais transformé mes journées en quête. J'étais loin d'imaginer que je mettais notre vie en danger. J'avais besoin de m'agiter. En même temps que j'écrivais ce qui deviendrait mon premier roman (l'histoire d'un homme enfermé entre les murs d'une prison parce qu'il avait tué son père), je scrutais les petites annonces, je téléphonais, je faisais des comptes, j'organisais des visites de notre trois-pièces. Ce que j'avais lancé comme une proposition, pour ne pas dire un amusement, devenait une évidence puis bientôt une urgence. L'adrénaline me tenait. J'attendais que le *69* soit déposé chaque lundi dans la boîte aux lettres (c'était juste avant Internet et Leboncoin), je prenais des rendez-vous, je recherchais le lieu idéal que j'imaginais avec un jardin. Je ne sais d'où était venue cette lubie de vouloir gratter la terre, planter des hortensias (les vacances en Bretagne certainement), prendre les petits déjeuners dehors, inviter des amis, permettre à notre fils de jouer au grand air. Dans mes critères il y avait : construction ancienne, orientation sud, trois ou quatre chambres (il fallait un espace pour Claude et ses instruments de musique et j'aurais bien aimé un bureau), petit jardin ou terrasse, et un endroit pour garer la moto. Je visais l'impossible. C'est peut-être ce qui me plaisait.

Je visitais, j'espérais, ma vie tournait autour de ce lieu que j'allais dénicher. Plus vaste, plus lumineux, plus confortable. Je visitais, j'écrivais. Faut-il voir un lien entre ces deux nécessités ? L'impossibilité de rester tranquille sans doute, quand bien même je travaillais à l'extérieur deux jours par semaine.

J'ai fini par devenir une experte de la recherche d'appartement. Je décryptais les annonces comme personne. Je savais repérer les inconvénients à la façon dont elles étaient rédigées, j'aimais ce langage fait de pièges et d'omissions, qui me transformait en interprète, en fine mouche à qui on ne la fait pas.

Une petite voix aurait dû me dire de rester là, de ne pas quitter notre *canut* rénové, un peu étroit, certes, un peu spartiate, mais parfaitement vivable. Une petite voix aurait dû m'attacher à ma chaise le samedi quand je partais en chasse pendant que Claude travaillait.

Reste là.

Je pouvais encore tout arrêter. Je n'étais engagée nulle part, avec aucune agence ni aucune banque. J'étais libre, et tout allait bien.

Mais je ne suis pas du genre à renoncer.

Quelle phrase hideuse, que j'accepte enfin d'écrire.

J'ai même intensifié mes démarches, j'ai mis des mots dans les boîtes aux lettres des petites maisons qui jouxtaient notre rue. Je me disais qu'une maison de ville, ce serait idéal. Claude acquiesçait, oui *pourquoi pas*, si cela te plaît. Le seul souhait qu'il émettait, la seule chose qu'il aurait aimée, c'était être en hauteur, regarder les toits depuis un balcon en fumant sa clope. Était-ce le lointain écho de cette terrasse à Alger où il faisait du tricycle quand il était enfant, dont il avait gardé la sensation. Ce plein ciel, dans lequel résonnait parfois l'écho de détonations. Mais moi je préférais être en bas. Sur le plancher des vaches. Je me souviens de cet élan, qui m'a paru suspect après coup, de ce désir qui tournait à l'obsession.

3. Si je n'avais pas visité cette maison

Une petite annonce m'a attirée vers une maison toute proche, à quelques rues de la nôtre. J'y suis allée avec notre fils, qui avait déjà sept ans. Je savais que c'était trop cher, beaucoup trop cher pour nous, j'y suis allée par curiosité, comme on dit, pour voir ce qui se cachait derrière ce haut mur le long duquel nous passions fréquemment.

Ce fut un choc, un éblouissement. Aucun critère ne comptait plus d'un coup, c'était là, c'était obligé, il faudrait que ce soit là. Mais nous n'avions pas l'argent. Je me souviens de tout ce vert, des grands arbres et des balançoires. Je me souviens de pivoines qui ployaient sur leurs tiges. À l'intérieur c'était sombre et charmant. Le bois de l'escalier craquait, qui tournait d'un quart avec une rampe lustrée. Puis les quatre chambres au premier, tapissées d'un papier d'un autre âge, et une salle de bains rococo.

En parcourant l'immense jardin, en visitant l'appentis vers la clôture du fond, avec tous les regrets qui m'étranglaient, puisque j'avais compris que cette propriété n'était pas faite pour nous, j'ai aperçu qu'il existait, dans l'angle caché derrière la haie, une autre maison, plus petite, plus modeste, dont les volets à la peinture écaillée étaient clos, une maison à l'abandon qui disparaissait dans la végétation.

C'est là qu'il aurait fallu me taire.

Une maison à l'abandon, que j'aperçus dans l'angle mort, comme ces ruines qu'on découvre, ensevelies sous le lierre à l'orée d'une forêt, probablement hantées, qui respirent l'humidité, le salpêtre et les histoires malsaines, ces bâtisses grossièrement barricadées, qui contiennent encore la peur des nuits d'orage, des bûches à moitié calcinées dans la cheminée, des bris de verre et des papiers anciens qui jonchent le parquet.
Qui rebutent les gens normalement constitués.

C'était plus fort que moi, j'ai demandé.

La dame m'a dit que cette maison-là appartenait à son frère et qu'il n'était pas vendeur. Elle m'a laissé entendre qu'il y avait un lien avec la guerre. Jean Moulin y avait organisé des réunions, j'ai oublié de préciser que nous étions sur la commune de Caluire, qui jouxte le 4e arrondissement de Lyon, Caluire-et-Cuire, la ville où Jean Moulin a été arrêté. Elle m'a raconté une histoire de parachutistes anglais que sa famille aurait cachés dans la cave, et d'armes enfouies au fond du jardin. Elle a fait un geste de la main qui désignait vaguement la terre sous un conifère (dont j'ai su plus tard qu'il s'agissait d'un cèdre de l'Atlas). Elle a également évoqué les munitions que ses parents dissimulaient dans son couffin quand elle était bébé, et les pains de savon que la famille stockait à des fins explosives. Le frère de cette dame habitait Nice, il ne vendait pas. Non, il ne servait à rien d'insister.

N'importe qui aurait fui, aurait détourné le regard de cette maison dont l'histoire laissait supposer une présence d'ondes néfastes. N'importe qui aurait laissé ces quatre murs soigneusement refermés sur leur passé.

J'ai fait tout le contraire, j'ai été comme aimantée par cette énigme qui s'offrait à moi, j'ai été happée par cette double mission impossible. Acheter la maison, et retrouver les armes cachées. Comme si

43

cette aventure allait faire de moi une résistante. C'était inespéré, et je n'ai pas flairé l'engrenage qui allait faire basculer notre existence.

Quelques jours plus tard, n'y tenant plus, je rédigeais une lettre à l'attention de Madame Mercier, c'était le nom de la dame, qui disait comme j'avais aimé le lieu, qui disait mon attachement au quartier, et sans doute des choses susceptibles de faire en sorte que son frère change d'avis. Ce frère lointain et buté. Cela sentait l'indivision et le secret.

C'était le début d'un suspense dont je n'ai jamais cessé d'avoir honte.

Je n'avais pas de réponse à ma lettre. J'avais été naïve, j'avais cru que des inconnus allaient se laisser toucher par les états d'âme d'une jeune femme en quête de logement. J'attendais encore, j'étais déçue mais aussi blessée que ces bourgeois de Mercier me résistent.

J'aurais dû y voir un signe. J'aurais dû les bénir. Au lieu d'espérer les convaincre. Au lieu de faire de cet enjeu bien plus qu'une simple recherche de maison. Si j'étais basique je parlerais d'une forme larvée de lutte des classes, et peut-être même d'une revanche. Disons que je suis basique éclairée.

J'ai poursuivi mes recherches. J'avais la vie devant moi après tout, c'est ce que je croyais. Tout allait bien, je ne m'en rendais plus compte. Une autre occasion se présenterait. J'ai continué à écumer les petites annonces, j'ai relancé les agences immobilières. Je n'étais pas si mal, à accomplir cet exercice jour après jour, cela ajoutait un lot de vibrations à mon quotidien.

Je ne savais pas s'il valait mieux acheter ou vendre en premier. J'entendais parler du prêt-relais, je pensais aux nuits blanches en perspective. Mais rien ne me résisterait, j'en étais convaincue. Je me renseignais sur les taux d'intérêt, sur les conditions bancaires. Je défrichais, avec une énergie que je n'ai jamais retrouvée. Quand j'y repense, j'étais une petite armée à moi toute seule, le capitaine, le fantassin et le canonnier.

Un jour, je visitai un grand appartement au charme fou, toujours à Caluire, mais plus loin, près de la piscine municipale, en lisière de la cité de Montessuy, là où était peut-être notre place après tout. La vie y semblait différente, comme ralentie.

Il aurait fallu que notre fils change d'école. Rien d'insurmontable. Cet appartement doté d'un jardin collectif dégageait quelque chose de si tranquille, sa grande surface nous permettrait de déployer nos projets de création, et pourquoi pas de louer une pièce à un étudiant. Il suffirait de trouver un garage, ce qui viendrait après.

Nos soirées se changèrent en veillées de réflexion. Avantages et inconvénients. Élans et réticences. Additions et soustractions. À cause de ces choix difficiles naissaient des tensions. Claude et moi ne parlions plus que de cela, ce désir de déménager qui me hantait, qui occupait toute la place, qui me rendait fébrile et parfois grotesque. Je suis retournée voir l'appartement de Montessuy avec mon amie Marie, j'avais besoin d'un autre avis, et ce jour, il y avait des lapins sur le terrain qui descendait le long des balmes au-dessus du Rhône. Un argument de choc pour me décider, que n'aurait pu inventer aucun agent immobilier. Ce fut aussi l'époque où je découvrais leur compagnie, leur jargon prévisible, leurs chemises près du corps, leur tendance dépressive.

Claude vint visiter à son tour, il accordait au lieu des qualités, malgré l'éloignement des cafés, des cinémas, du journal où il travaillait, et comme il commençait à être fatigué de ma recherche sans fin, il dit que c'était bien. Il était le contraire de moi, pourvu qu'on ait de quoi dormir, écouter de la musique et de quoi garer la moto. Le culte de la perfection ne le dévorait pas. Sa seule angoisse était de ne pas vivre près de la Méditerranée, de voir l'automne supplanter l'été et la température baisser en même temps que les jours diminuent. Le passage du temps, surtout, l'inquiétait, les années qui défilaient et qui venaient de faire de lui un quadragénaire. Habiter ici ou là n'était qu'un détail, en revanche, entrer dans le mois de novembre était une souffrance. Et même pire que cela.

Nous étions en novembre, et nous allions signer le compromis de vente. J'étais enthousiaste et Claude aussi, ce changement allait créer un mouvement dans notre existence. C'était un événement, acheter un appartement aussi spacieux. Je pourrais transformer une pièce en bureau, nous pourrions avoir une chambre d'ami, Claude pourrait ressortir sa boîte à onglets, il pourrait répéter avec son groupe dans la dépendance au fond du jardin collectif, avec l'autorisation de la copropriété. Nous prendrions un abonnement à la piscine, ce qui nous ferait le plus grand bien. Il suffisait de voir la vie du bon côté.

Il restait à vendre notre *canut*, j'allais organiser les visites, faire le ménage chaque jour, disposer des tulipes dans un vase sur la table de la cuisine, empêcher que notre fils répande ses jouets d'un bout à l'autre de l'appartement. Nous allions nous interdire d'étendre le linge au milieu du salon, nous allions briquer la salle de bains, la gazinière, après chaque usage, nous allions enlever les guitares en travers du passage.

Quand Mme Mercier a téléphoné.

Au moment où j'écris ces lignes je me dis que c'était le diable. Pourtant dans Mercier il y a merci. Il aurait fallu répondre Non merci.

C'est ce que j'aurais dû dire quand elle a appelé un soir de pluie sur le téléphone fixe (il faut se souvenir de ce monde sans portable), pour nous annoncer que son frère avait changé d'avis. Il était d'accord pour vendre cette ruine dont j'avais rêvé nuit et jour, et pour laquelle j'avais proposé une somme exagérée. Il était d'accord, l'abruti, il avait fini par être raisonnable, puisqu'une écervelée l'avait supplié de lui céder cette maison qui tenait tout juste debout.

Sauf que c'était trop tard, nous venions de nous engager ailleurs. Nous n'étions pas à leur service. Casser un compromis de vente, après les dix jours du délai légal de rétractation, coûtait 10 % du montant de l'acquisition, autant dire une fortune. La question ne se posait pas. Ne se serait pas posée pour un esprit équilibré. N'importe qui aurait dit *C'est pas de bol, C'est la poisse, mais tant pis,* n'importe qui aurait pleurniché le premier soir et puis aurait oublié.

C'est ce que j'aurais dû faire. C'est ce que Claude proposait que nous fassions.

Mais je ne parvenais pas à renoncer, hélas, même au prix d'un impossible effort. J'allais m'alimenter à ce nouveau sac de nœuds. Et faire un pacte avec le diable.

Non, n'y va pas. Aurait dû crier la voix.

Laisse tomber, avait dit Claude. *Maintenant il faut que ça s'arrête.*

49

Nuits blanches, exaltation, réflexion, palpitations.

Je voulais la maison des Mercier, je voulais rester dans le quartier, tout bien réfléchi, près des cafés, près de l'école, près du marché. Comment avais-je pu m'emballer pour une construction au pied de la cité de Montessuy, sans rien alentour que la piscine municipale – dont le prix d'entrée était devenu prohibitif, sans doute pour que les pauvres de la cité n'y dérangent pas la population de parvenus nouvellement implantés dans la ville –, sans passants sur les trottoirs, sans aucune raison de flâner et donc de marcher à pied. Comment avais-je pu me projeter dans un lieu désert, au prétexte que j'avais aperçu, un matin au soleil levant, deux lapins qui batifolaient dans l'herbe, et que Claude aurait pu installer ses instruments dans une cabane en bois sans chauffage dans un jardin partagé, sans même savoir si la copropriété aurait donné son autorisation. Qu'est-ce qui m'avait pris ?

Il nous fallait acheter la maison des Mercier, qui comportait un petit terrain. Je le sentais, je le voulais, c'était la chance de notre vie.

Claude dormait et je n'osais pas lui dire que j'allais trouver une solution. Il dormait paisiblement, et mon cerveau brûlait, je cherchais comment faire annuler ce compromis de vente. Il m'aurait suffi de glisser dans le sommeil, de renoncer à ne pas renoncer. Il était encore temps de tout arrêter. Il me suffisait de ne rien faire. Simplement ne rien faire.

Ne bouge pas le petit doigt.
La consigne la plus simple de mon existence.
Reste tranquille dans ta chambre, comme me le soufflait à l'oreille ce philosophe redevenu à la mode.

Le lendemain, surexcitée, j'ai consulté les lois, je suis devenue spécialiste du compromis de vente, des obligations pour les deux parties, les conditions pour le casser. J'ai pris des renseignements auprès du notaire (qui était un ami), auprès de l'agence immobilière, auprès de la banque, qui m'avait déjà reçue deux semaines plus tôt. J'ai fait des nouveaux calculs sur un carnet. Et une fois que j'ai épuisé toutes les possibilités, ou plutôt toutes les impasses, j'ai décidé que nous allions acheter comme prévu l'appartement de Montessuy, puis le revendre dans la foulée. Cela ne devait pas être bien sorcier. Il y avait une forte demande, j'étais entourée de

connaissances qui cherchaient ce genre d'appartement au calme, c'était le nouveau credo de notre
génération, les jeunes couples avec enfants qui
rêvaient d'un jardin avec potager collectif, balançoires et lapins, avec apéros collectifs sous tonnelle
collective, il y avait plus de demande que d'offre,
j'allais revendre en un claquement de doigts. Je
passerais une annonce où je préciserais : Idéal
famille versus tribu. Vie au grand air. Rare. Possibi-
lité barbecue. Joie de vivre et potager.

Il fallait juste que j'en parle à Claude, que je
prenne son avis. Il a tenté de me dissuader, forcément. N'importe quel être sensé aurait fait la
même chose. J'ai insisté et j'ai tranché : *Je m'occupe
de tout*, j'ai renchéri : *Tu n'auras rien à faire*, j'ai
ajouté : *Ne t'inquiète pas, ça va rouler.*

Sous-entendu, je suis trop maline.

Sous-sous-entendu, je ne vais pas rater une nouvelle occasion de t'épater.

J'ai enchaîné les rendez-vous, je faisais visiter
moi-même l'appartement de Montessuy, sans
passer par une agence. Je craignais la question :
pourquoi vous vendez ? J'avais inventé un men-
songe si bas de gamme que je n'ose pas l'écrire.

Vous savez, ces arrangements qu'on fait avec soi-même, pas jolis jolis. Je ne l'ai même jamais avoué dans le cabinet d'un psy. Pourquoi vous vendez ?

Je faisais visiter, puis j'allais chercher notre fils à l'école. J'avais l'air normal. En fait, j'allais bien, je prenais tout cela pour un jeu. Le grand huit avait déjà commencé. Je me disais que ça me plaisait, de faire visiter des appartements, je pourrais en faire un métier, si jamais. J'avais commencé à écrire un nouveau roman mais je n'avais plus la tête à poursuivre. Ça s'appelait *Cache-cache*, c'était une histoire contemporaine du *Petit Poucet*. Je l'ai laissé en plan. Pour écrire il faut être obsédé par ce qu'on raconte, et là j'étais obsédée par autre chose, qui prenait toute la place.

Heureusement, je travaillais à l'extérieur, comme je l'ai déjà précisé, ce qui me permettait d'avoir une vie équilibrée quelques heures par semaine. Côté pile, j'allais au bureau en voiture, je prenais le périphérique, je participais à des réunions, j'avais des décisions à prendre, des conversations à tenir, des appels téléphoniques à passer, des livres à lire, c'était concret et cadré. Je me disais : Ça va tu n'es pas folle.

Côté face, je mentais, et je revendais l'appartement acheté trois semaines plus tôt à un jeune couple qui venait de faire un héritage (peut-être mentait-il aussi) et envisageait de procréer. J'étais fière d'annoncer cela à Claude.

Trop forte. Enfin délestée d'un poids écrasant. Le grand soulagement. Je me sentais légère enfin, si légère ! Je me souviens de cette envie de danser qui ne me quittait pas. La joie, la joie, je n'éprouvais que de la joie.

Je pouvais à présent appeler Mme Mercier, que nous avions fait patienter après l'avoir suppliée.

N'appelle pas.

Tout rentrait dans l'ordre, croyais-je, après cette accélération incontrôlée. Tout se goupillait parfaitement bien.

Vendre notre *canut* fut relativement simple, le quartier était en plein boom, même si au sortir de l'hiver, le soleil n'entrait qu'entre treize heures et quinze heures, mettant furtivement en valeur les murs de pierre et le parquet que nous avions poncé avec conviction dix ans plus tôt. Un jeune couple (encore un), originaire de Saint-Étienne, dont l'homme était pompier, trouva l'appartement à son goût et projeta de tout casser pour tout refaire à son idée. Et peut-être renouer avec la tradition des faux plafonds. Il n'aimait pas la perspective que les poutres pouvaient flamber. Chacun ses obsessions.

Il fallait encore signer le compromis de vente de la maison des Mercier, faire un emprunt à la banque, et nous retomberions sur nos pieds. C'était le fameux jour où Claude avait joué avec le pourcentage de l'assurance du prêt à répartir sur nos deux têtes. En cas de décès, s'entend.

Nous étions assis dans le bureau du Crédit mutuel, avec nos casques de moto sur les genoux. 50/50 ? 40/60 ? C'était comme si nous cherchions à savoir celui qui valait le plus. Le plus fiable, le plus solvable, celui dont l'avenir était le plus prometteur. Moi j'étais salariée d'une association à mi-temps et je commençais juste à écrire. Claude dirigeait la discothèque municipale de Lyon, et collaborait régulièrement avec *Le Monde* (le plus souvent la rédaction Rhône-Alpes) où il publiait des articles sur la musique. Nous avions fait un bras de force sur le bureau du Crédit mutuel en riant, pour compenser le sérieux qui nous avait contraints le temps de parapher chacune des pages du contrat, sans en lire aucune. Nous avions fait ce geste sous le nez du conseiller, par un pur réflexe

de rébellion postadolescente, une attitude imma-
ture qui montrait que nous n'assumions pas
d'acheter une maison, ce fantasme qu'au fond de
nous nous méprisions. C'est vrai que cela ne nous
ressemblait pas. Et pourtant, nous nous dirigions
tout droit vers cette nouvelle étape de notre existence.

Par ma volonté, j'avais préparé, sans le savoir, les
conditions de l'accident.

4. Si nous n'avions pas demandé les clés à l'avance

Il était entendu que les Mercier nous donneraient les clés de la maison le lundi 21 juin, le jour de la signature de l'acte de vente. Mais, trop impatients, nous les avons suppliés de nous remettre ce trousseau quelques jours à l'avance, c'est-à-dire dès le vendredi 18 juin, pour que nous puissions profiter du week-end pour aménager un coin dans le garage, entreposer quelques cartons et commencer le déménagement. Le notaire était un ami, comme je l'ai précisé. Ou plutôt l'ami de Guy qui travaillait avec Claude à la bibliothèque municipale. Devant notre insistance, il avait consenti à bénir cette entorse. Pour nous être agréable, pour ne pas se comporter en homme de loi psychorigide. Il avait cru bien faire, et il n'y avait aucun risque. Cela se pratiquait régulièrement. Il suffisait

que nous souscrivions dès à présent l'assurance
habitation, ce que nous avions fait avec empresse-
ment. Nous avons commencé à charrier les premiers cartons, les vêtements d'hiver, les livres, les
disques, quelques jouets. Nous avions pensé gagner
du temps. Et comme l'appartement que nous quit-
tions n'était qu'à quelques centaines de mètres de
la maison, nous pouvions agir quand bon nous
semblait, en chargeant notre Peugeot 106.

C'était drôle et régressif, de bourrer la voiture
de sacs et de cartons, comme lorsque nous étions
étudiants, c'était une joie de trier, de faire des piles
d'objets, et de commencer à nous mettre en mouvement. Nous avions besoin d'agir, après tous ces
mois de tergiversation. Il nous était impossible de
rester immobiles, nous avions tellement envie de
commencer à occuper les lieux. Nous étions élec-
triques, et chaque geste s'accomplissait dans une
impatience qui peut se nommer euphorie. Cette
fébrilité était la même que le jour où j'ai quitté la
maison familiale pour m'installer avec Claude dans
le centre-ville de Lyon. Ce sont des sensations
uniques, qui s'inscrivent, qui marquent le corps
tout entier dans ce qu'il charrie d'énergie. La
maison nous permettrait de mettre en œuvre notre

imagination, sans autre limite que celle de notre budget.

Je me voyais déjà remuer la terre pour organiser des plantations, imaginer un petit jardin botanique qui permettrait à notre fils de prendre soin des plantes carnivores qui étaient sa nouvelle passion. Je me voyais déjà en train de construire une serre miniature pour y cultiver des semis, je pensais à une véranda, et à tout un tas d'autres prolongements. Disons que ce n'était pas un problème de penser, c'était plutôt le contraire, il était impossible de ne pas extrapoler. C'est étonnant comme l'esprit prend tout l'espace, se projette, et n'en finit pas d'explorer chacun des mètres carrés nouvellement acquis.

Je me souviens de ce week-end où nous avions eu les clés comme d'un cadeau, je me souviens de la lumière de juin qui jouait sur les murs de pisé, je me souviens du grand portail de bois à l'huisserie ancestrale, qu'il fallait manœuvrer avec poigne, et de la lourde clé qui tournait mal dans la serrure rouillée. Je me souviens des éclats de soleil qui se réfléchissaient sur la cour intérieure chauffée à blanc, je me souviens de ce désir que j'avais de peupler cette cour de plantes grimpantes, et d'en faire un patio, un havre d'inspiration méditerranéenne. J'aimais l'idée qu'on entre dans la maison par ce jardin qu'il nous faudrait inventer. J'avais envisagé de construire un abri à vélo dans un coin, puisque dans ce monde meilleur, je me voyais sur un vélo pour aller faire mes courses, en parfaite citadine *plus que cool* que je prévoyais de devenir. À l'époque, on ne disait pas encore *bobo*.

Nous étions allés aux Puces de la Feyssine le dimanche matin et avions trouvé une table de jardin en fer forgé avec quatre chaises, fatiguées mais en état. Je n'aurais qu'à les poncer puis les repeindre. Ce salon de jardin, charmant et rustique, était l'exacte projection de notre vie future telle que je l'imaginais, cliché sans doute glané dans des films ou dans des revues de décoration, que je feuilletais alors avec fébrilité, et que j'ai gardées sur une étagère, encore à ma portée, là derrière moi, depuis la petite pièce de la maison où j'écris et qui elle aussi, sera bientôt rasée.

Nous avions invité Marie et Marc à prendre un verre dans le jardin, sur les chaises en fer plutôt inconfortables. Nous avions bu des bières apportées pour l'occasion, en un genre de pique-nique.

Nous avions pris place sous le cerisier chargé de cerises, puisque c'était pile la saison. Il y avait autant de bigarreaux tombés au sol, éclatés sur le gravier, qui collaient sous les chaussures. Les garçons avaient grimpé dans l'arbre, je leur avais crié de faire attention, il ne s'agissait pas de gâcher ce si beau dimanche.

Seulement voilà.

Ces clés nous n'aurions jamais dû les demander à l'avance.

Cette légère anticipation faisait toute la différence.

Je l'ai compris après.

Ne prends pas les clés.

5. Si je n'avais pas téléphoné à ma mère

Le fonctionnement des familles est chose étrange. Les histoires des uns se retrouvent parfois exposées aux yeux des autres. En l'occurrence, aux oreilles. À leur insu. Ma mère savait que mon frère, qui habitait dans la même ville que moi, n'avait plus de garage pour sa moto. Le temps d'une semaine. À cause de sa propriétaire, qui, d'après ce que j'ai compris par la suite, récupérait le local pour le repeindre. Pile à partir du vendredi 18 juin, le fameux jour où nous avions les clés. Et surtout, jour où mon frère était censé partir en vacances. Je me demande pourquoi j'ai dit à ma mère que nous avions les clés, que nous avions déjà les clés, que nous avions enfin les clés. Était-ce si urgent.

Je me demande pourquoi j'ai dit à ma mère que dans cette maison, il y avait un garage. Un garage que nous voulions transformer en salon. Et une cour dans laquelle nous trouverions la place d'aménager un garage.

Qu'est-ce qui pousse une fille à donner à sa mère une information en temps réel ? D'autant que nous nous appelions peu, c'est-à-dire une fois tous les quinze jours peut-être, et que la non-invention du téléphone mobile (il existait déjà, je sais, mais nous n'en avions pas encore fait l'acquisition, la seule dans mon entourage proche qui en possédait un était Clarisse qui vivait une relation avec un homme marié et sortait le gros GSM de son sac avec un air entendu, cherchant un endroit où ça captait quand elle nous rendait visite) nous interdisait de passer ces SMS dont nous usons aujourd'hui pour donner nos moindres positions et états d'âme.

J'aurais pu appeler ma mère pour lui dire que nous avions les clés, et tomber sur le répondeur, sur lequel je n'aurais évidemment pas laissé de message. Ce qui aurait évité tout ce qui va suivre. Appeler ma mère, je veux dire appeler mes parents, c'est une erreur de langage qui en dit long. Mais comme mon père entendait mal, et sans doute aussi pour d'autres raisons, il avait pris l'habitude de ne pas répondre. Mes parents étaient rarement absents, surtout le soir, où ils ne sortaient pas. Il n'y avait donc aucun risque pour que je tombe sur le répondeur. Risque zéro. C'est à la fois rassurant et effrayant. Alors qu'à l'inverse, ma mère avait du mal à me joindre, ce qui lui faisait demander : *Où est-ce que tu courates encore*, de ce verbe qu'on emploie dans sa famille auvergnate, et qui est plein de sous-entendus et désignait ma façon de ne pas savoir tenir en place.

Faut-il qu'il n'y ait rien eu de plus intéressant à raconter pour que la fille annonce à sa mère ce qui était alors une bonne nouvelle, cette histoire de clés données à l'avance. *Maman, j'ai les clés !* a confié la fille tout excitée. Comme elle aurait pu dire *Maman regarde comme j'ai bien fait pipi dans mon pot.* Maman j'ai les clés, moi aussi j'ai été capable d'acheter une maison. J'ai tout bien fait comme on me l'a appris, ce n'est pas parce que j'écoute les Sex Pistols que je ne fais pas tout comme mes parents.

À quel âge peut-on se passer du regard de sa mère ?

Était-ce pour souligner le privilège dont nous gratifiait le notaire, en nous traitant comme on traite des amis ? Était-ce pour me valoriser auprès de ma mère, en évoquant au passage que ce notaire était un ami ? Sans le formuler à cette époque, il était encore trop tôt, j'avais amorcé ce qu'on appelle un transfert de classe sociale, sans m'épargner la névrose qui l'accompagne, et sans l'épargner aux autres on s'en doute. Le notaire était un ami d'ami, comme je l'ai dit au chapitre précédent, nous le connaissions depuis peu. Et il est d'usage que, dans les conversations, les amis d'amis, et même les vagues connaissances, se transforment en amis, pour simplifier. C'est comme ça. On aime les raccourcis. On ne va pas passer sa vie à entrer dans les détails.

Bref, qu'est-ce qui pousse une mère à stocker l'information et la transmettre à son fils sur-le-champ ? Brigitte a les clés d'une maison avec garage. David est en panne de garage. Je dispatche, j'organise, je fais du lien entre mon fils et ma fille, je me rends utile, c'est magnifique. Merci maman. C'est normal, j'aurais fait la même chose, ce zèle des familles qui rend les uns dépendants des autres. Ce sont les vases communicants. C'est la définition d'une famille. Être une mère, c'est rendre la vie équitable, veiller à ce que Brigitte n'ait pas plus de purée que David. C'est faire en sorte que Brigitte, l'aînée, prête ses affaires à David. Tu prêtes tes Lego, tu partages ton réseau, tu prêtes ton garage. Tout le monde est content. Et reconnaissant. C'est de la solidarité et pas de l'ingérence. Il n'y a pas de frontière, pas de propriété. C'est le don de soi au profit du groupe, parfois même du clan.

Le message était donc passé.

6. Si mon frère n'avait pas pris, soudain, une semaine de vacances

Je ne sais plus où travaillait mon frère en 1999. Peut-être était-il déjà technicien à la maintenance du parc de véhicules de la préfecture du Rhône. Peu importe, il avait une fonction qui lui permettait de prendre une semaine de vacances en juin, à l'improviste, avant les vraies vacances en août. Je ne sais pas si à l'époque les RTT existaient déjà. Il faudrait vérifier, mais à quoi bon. À moins que, pour des raisons de service, ce fut son chef qui lui avait intimé de liquider ses congés ou ses heures supplémentaires, qui traînaient. Et que l'administration n'avait nullement l'intention de lui payer.

Un de ses copains lui prêtait un studio à Nice, une défection dans son planning de location, je n'ai jamais su. Un studio disponible sur la Côte d'Azur, cela ne se refuse pas, surtout quand on vient de se farcir onze mois à respirer les gaz d'échappement de l'agglomération lyonnaise et à gérer un stock de gyrophares. La baie des Anges, forcément ce n'est pas la même lumière que les fonds de cale où s'opèrent les vidanges des Renault Master de la police française. Mon frère s'était organisé, sa hiérarchie, ses collègues, sa femme, l'école maternelle de sa fille, il avait seulement un problème de garage, que bien malgré moi j'allais résoudre. Il devait prendre la route le samedi 19 juin au matin, et nous avions tout juste les clés. Le hasard avait bien fait les choses. Par ici la 900 Honda Fireblade, tu la mets dans ce coin, personne ne te la volera.

7. Si j'avais accepté que notre fils parte en vacances avec mon frère

Mais mon frère m'avait donné, sans le savoir, une chance de nous en tirer. Un joker qu'il aurait fallu saisir.

Comme il était généreux et solidaire, il m'a proposé d'emmener notre fils avec eux pour cette semaine inespérée au soleil. Je me souviens de notre conversation au téléphone. Il aurait suffi que je dise oui pour que l'accident n'arrive pas. Il aurait suffi que je saute de joie à l'idée que notre fils allait s'affranchir de sa dernière semaine de cours préparatoire, qu'il manque la fête de l'école et les réjouissances qui accompagnent ces dernières journées. Au lieu de cela j'ai dit que j'allais réfléchir, que j'en parlerais avec Claude, qu'on le rappellerait vite.

Ne réfléchis pas, dis oui.

Il aurait fallu que la petite voix me souffle que c'était important que notre fils passe une semaine avec sa cousine et son oncle, bien plus important que l'école, que c'était l'occasion rêvée pour que se fortifient les fameux liens de famille. Il aurait fallu que je sois normale et pas traversée par la peur. Je n'ai pas fait de sondage autour de moi mais j'en profite, je pose la question. Qui laisserait partir son fils de huit ans, qui sait à peine nager, une semaine entière au bord de la mer, avec deux adultes dont il ignore comment ils surveillent les enfants, avec deux adultes que je fréquente peu, dont j'ai entendu dire (ma mère) qu'ils disposeraient, sur place, d'un bateau à moteur, et qu'il y avait une route à traverser entre le studio et la plage.

Claude et moi nous sentions ridicules de tergiverser. Nous étions gênés de décliner la proposition. Pour qui nous prenions-nous pour refuser une telle aubaine. Étions-nous des rabat-joie, des suspicieux, des frileux incapables de faire confiance. Nous avions inscrit notre garçon en colonie de vacances pour une quinzaine en août, pour la première fois, puisque notre été serait principalement dévolu aux travaux d'aménagement de la maison, et cette quinzaine loin de lui nous semblait largement suffisante.

J'ai rappelé mon frère et j'ai tordu la réalité. J'ai dit que son neveu avait des évaluations de fin d'année, auxquelles il serait malvenu de se soustraire, ce qui était faux. J'ai dit qu'il tenait un rôle important dans la chorégraphie prévue à la fête de l'école, ce qui, heureusement pour ma conscience, était vrai. J'ai senti sa déception et ses doutes sur ma bonne foi. *Bon c'est vraiment dommage. Sophie va être déçue.* Sophie, qui vouait un culte à son cousin, celui qui lui montrait comment escalader le portail chez les grands-parents, comment passer la nuit incognito dans la cabane du jardin, comment nourrir les chevaux sans se faire mordre les doigts.

C'est vraiment dommage. Mais j'étais libérée, je n'avais pas mis notre fils en danger. Nous avions su dire non sans froisser personne.

C'était encore une fois le mauvais choix.

8. Si mon frère n'avait pas eu un problème de garage

Je n'ai jamais compris cette histoire de garage que mon frère louait dans son quartier. Ou plutôt sous-louait. Une copine de son club de musculation, à moins qu'il ne se soit agi d'une collègue agent de la paix, lui avait proposé de partager une place dans un garage collectif où pouvait se glisser une moto plus ou moins incognito, même une grosse cylindrée. C'était un bon plan près de chez lui, mon frère a toujours eu des bons plans, pour acheter des lave-vaisselle, des alarmes anti-effraction ou des amortisseurs de fourgonnette.

Tout roulait, si l'on peut dire, si ce n'était ce léger contretemps qui l'avait sommé de garer sa moto ailleurs du vendredi 18 au vendredi 25 juin. Un contretemps qui devint vite une tuile dans son esprit, puis un abominable casse-tête. En sondant

ses amis, ses collègues, les parents d'élèves de
l'école, et bientôt le responsable du parc de véhicules de la police, autrement dit son chef, aucune
option ne venait résoudre le problème de la Honda
priée de dormir à la belle étoile. Horreur des hor-
reurs pour le motard pur et dur qu'était mon frère
(et qu'il est toujours), si on le compare au motard
plus soft qu'était Claude, même s'il n'aurait pas
laissé sa Suzuki Savage LS 650 passer la nuit
dehors.

Mon frère se voyait déjà corrompre le flic responsable du grand garage du ministère de l'Intérieur. La moto planquée dans un coin n'aurait
sûrement pas déséquilibré le service. Mais c'est toujours pareil, si on fait une exception, après c'est
l'anarchie. Et si c'est l'anarchie, ce n'est pas la
police.

Peut-être était-il sur le point de rappeler un
copain du karting-club, ou de relancer le frère de
sa femme, peut-être avait-il prévu de glisser un
billet de 200 (francs) au concierge de son
immeuble pour qu'il lui autorise l'accès aux caves,
peut-être lui fallait-il simplement passer voir cet
ami d'ami à qui il avait prévu de filer une caisse
de vin, peut-être avait-il trouvé cette issue provi-
soire qui allait lui permettre de partir en vacances

malgré tout, quand ma mère a appelé, porteuse de la précieuse information. Brigitte a les clés. Brigitte a les clés à l'avance. Brigitte a les clés dès ce vendredi 18 dans l'après-midi, le notaire a fait une petite exception, si tu vois ce que je veux dire, enfin ça reste entre nous. N'est-ce pas une coïncidence inouïe. Parfois la vie vous fait de ces cadeaux.

9. Si je n'avais pas changé la date de mon déplacement chez mon éditeur à Paris

Mon deuxième roman devait paraître à la rentrée littéraire de septembre, fin août pour être précise. Il s'appelle *Nico*. Mon attachée de presse m'avait proposé de venir faire mon service de presse, c'est-à-dire de dédicacer des exemplaires à destination des journalistes censés lire pendant l'été. Elle m'avait d'abord proposé le vendredi 18 juin, mais comme c'était le jour des clés, je ne voulais pas me priver de ce que je raconte plus haut. Et puis nous avions un rendez-vous avec un chauffagiste que je ne voulais pas rater. J'ai demandé si nous ne pouvions pas reporter le service de presse à la semaine suivante, par exemple au mardi 22 juin. J'étais embêtée, cela ne se fait pas, de chambouler comme ça le planning de son attachée de presse, mais elle était charmante, tellement conciliante, elle aurait dû m'envoyer balader. Chère Emmanuelle. Elle aurait dû dire : C'est moi qui décide.

C'est le 18 juin ou rien ma cocotte. Ce n'est pas libre-service.

D'autant que j'avais déjà pris mon billet de train, qui hélas était échangeable, pour peu que je me donne la peine d'aller faire la queue au bureau SNCF de la Croix-Rousse. Je maudis ces billets échangeables. On aurait dû m'obliger. Je maudis ce monde qui se pliait à mon désir. Je maudis cette liberté dont j'ai si mal usé.

Si j'étais allée à Paris le 18 juin comme prévu, je serais rentrée en fin de journée, au moment où mon frère déposait sa moto. Nous nous serions croisés rapidement. Et puis c'est tout. D'histoire, il n'y en aurait pas eu.

Il me suffirait donc de patienter à nouveau vingt bonnes minutes au bureau SNCF, un ticket numéroté en main, mais comme j'étais d'excellente humeur, ce n'était pas si grave, de m'asseoir face à un conseiller dont je jugeais les gestes trop lents, et dont le profond détachement me semblait une énigme. C'était avant les bornes libre-service, c'était avant le grand tout électronique qui ferait de nous des guichetiers, des dactylos, des secrétaires, des comptables. J'étais guillerette, je crois, à l'idée de faire un aller-retour à Paris et de dormir chez Hélène. Guillerette à l'idée d'avoir bientôt mon roman entre les mains. Aucune ombre au tableau.

Les Parisiens ne le savent pas, mais pour les provinciaux, prendre un simple billet de train et trouver un lit à Paris représente un petit tour de force. Pour dormir chez des amis, encore faut-il avoir des amis dans la capitale, plutôt du côté de Bastille que de Sartrouville, et pas trop pourvus d'enfants. Comme je n'avais publié qu'un livre, je ne connaissais pour ainsi dire personne dans le milieu, en tout cas pas suffisamment pour espérer une proposition d'hébergement. Ce qui par la suite m'a toujours considérablement gênée, de dormir dans le canapé du salon, surtout de devoir montrer ma tête du matin, tellement différente de celle du soir, d'imposer ma présence dans la douche et d'accéder à l'intimité de ces amis, mes amis de Paris, hélas invisibles le reste du temps, et que mes amis de

Lyon ne rencontreront jamais. (Enfin, sauf le jour des obsèques.)

Mon éditeur m'avait proposé de me réserver une chambre d'hôtel, cela me revient, puisqu'il me fallait arriver chez Stock aux alentours de dix heures, et qu'en venant de Lyon ça me faisait lever aux aurores. Comme j'avais imposé ce changement de date, je ne pouvais pas demander à dédicacer plutôt l'après-midi. J'allais me faire conciliante et je déclinais la chambre d'hôtel dont je savais qu'elle occasionnerait des frais, déjà qu'on devait me payer un billet de train. Je n'ai jamais aimé cette distinction, qui fait des écrivains provinciaux des pourvoyeurs de notes de frais, c'est déjà bien assez compliqué d'être étiqueté *régional*, disons que les choses ont changé, mais à l'époque, un écrivain ça habitait Paris, ça passait chez son éditeur en allant au marché, en toute désinvolture. Moi j'étais toujours celle qui avait un train, cadrée par des horaires. Quand on ne savait plus quoi me dire, on me demandait si j'avais un train, ça faisait un sujet de conversation. Quand un apéro s'improvisait, je ne pouvais jamais en être parce que le dernier train, gare de Lyon, partait à 19 h 58. Combien de fois je suis arrivée en courant sous le panneau d'affichage.

Je n'étais pas expérimentée, et je prenais ce service de presse très au sérieux, fille sérieuse que je suis. Je préférais partir la veille, ce qui m'éviterait un lever à cinq heures du matin, et fatalement une nuit blanche, et me permettrait de voir Hélène, une amie lyonnaise qui travaillait depuis peu dans une librairie du 20ᵉ arrondissement, et qui insistait pour que je lui rende visite. Ça tombait drôlement bien.

Aller à Paris signifie aussi en profiter pour voir une expo. Le provincial se représente les expos comme un but en soi, puisque dans la province où il vit, il croit être privé de l'essentiel, à savoir Klimt, Bacon ou Boltanski, et il imagine que les Parisiens passent leur vie à flâner devant des photos de Walker Evans ou les installations de la Fondation Cartier. Vue d'ici, Paris rime avec expo, ou avec concert mythique, c'est une des composantes du complexe du provincial qu'on pourrait identifier ainsi : celui qui n'a pas vu les expos, celui qui se contente de dire qu'il en a entendu parler, celui qui feuillette les suppléments des journaux.

Le provincial a, par exemple, entendu parler du concert que Joy Division a donné aux Bains Douches en 1979, groupe qu'il aura raté à jamais

mais dont il aura lu le magnifique compte rendu de Michka Assayas dans *Libération*. Ce qui rendait Claude fou d'envie et attisait son désir d'écrire sur la musique rock. Les expos, les concerts et les salles mythiques, comme le Bataclan, la Maroquinerie, l'Élysée Montmartre, le Gibus, le Trabendo ou l'Olympia, sans parler du Palace, c'était à Paris, là où il semblait que ça se passait vraiment.

Je me disais donc que je pourrais dormir chez Hélène le 21 juin au soir, faire mon service de presse le lendemain, et s'il me restait du temps, je passerais voir l'installation Ousmane Sow sur le pont des Arts. Je calibrai donc mon retour ce mardi 22 juin par le train de 18 h 58, pour être large, ce qui me ferait rentrer à Lyon vers vingt et une heures.

Bien joué.
C'était ce que croyais.

10. Si j'avais téléphoné à Claude le 21 juin au soir comme j'aurais dû le faire, au lieu d'écouter Hélène me raconter sa nouvelle histoire d'amour

J'ai dit au revoir à Claude le lundi 21 juin en début d'après-midi, après la signature de la vente chez le notaire.

J'ai pris l'autobus jusqu'à la gare puis le train comme prévu, j'ai passé la soirée chez Hélène comme prévu. Pendant le week-end à Lyon, où nous avions bricolé dans la maison, j'avais tout de même eu le temps de croiser une copine à Monoprix, dont le fils était dans la même classe que le nôtre, et qui l'invitait à fêter ses huit ans le mardi 22 juin après l'école. Cela arrivait fréquemment que les enfants s'invitent après seize heures trente, chez les uns chez les autres. C'est aussi pour cela que j'avais voulu rester dans le quartier, pour cette camaraderie, cette fluidité, ces services qu'on se rendait. Tout était facile.

Claude n'avait donc pas besoin d'aller chercher son fils à l'école.
J'avais complètement oublié de le lui dire.
Nouveau joker.

J'avais oublié.
Mais j'allais réparer cela.
J'allais interrompre la conversation que nous avions chez mon amie Hélène, qui habitait près du Centre Pompidou, et que je n'avais pas vue depuis longtemps. J'allais me lever du canapé sur lequel j'étais confortablement installée et dans lequel je dormirais une fois la nuit venue, j'allais demander si je pouvais téléphoner, j'attendrais qu'il soit vingt et une heures trente, puisqu'à l'époque, vous vous en souvenez, à l'époque le téléphone coûtait cher, il y avait des zones de tarification, des horaires, un protocole qui rendait la vie parfois stupide, comme celui d'attendre près de l'appareil qu'on vous appelle, qu'une administration vous rappelle, que la personne dont vous étiez amoureuse vous rappelle.

VIVRE VITE

Nous étions embarquées dans une conversation
dont je ne sais plus où elle nous avait menées, sans
doute Hélène parlait-elle de son nouveau travail de
libraire, ou de la femme qu'elle venait de rencontrer et qui provoquait chez elle des nuits tourmen-
tées et des palpitations. À moins que nous nous
soyons attardées sur les textes d'Olivier Cadiot,
qu'elle aimait, ou sur le dernier album de Cat
Power qu'elle venait de mettre sur la platine. Oui,
il est probable que nous écoutions *Moon Pix*. Peut-
être parlions-nous de la nouvelle maison que nous
venions d'acheter, Claude et moi, et des travaux
que nous allions entreprendre, de cette maison
dans laquelle nous avions prévu d'aménager trois
chambres à l'étage, dont l'une serait réservée aux
amis, et qu'elle pourrait occuper quand bon lui
semblerait.

Lève-toi et appelle.
Il est encore temps d'empêcher ce qui va arriver.

Nous mangions des feuilletés qu'elle avait fait
réchauffer, délicieux, et nous buvions du Martini,
je crois que c'était du Martini rouge, par petites
gorgées. Nous buvions et nous bavardions. Il était
vingt et une heures trente passées, la Fête de la

musique battait son plein sous les fenêtres. J'apercevais dans l'angle du coin cuisine une pendule et je pouvais surveiller l'heure qui avançait. Je me disais qu'il était encore tôt, que Claude devait être en train de coucher son fils, je n'allais pas lui tomber dessus dès qu'il serait libre, il aurait sans doute envie de se retrouver un peu seul, de fumer une Lucky Strike à la fenêtre en écoutant l'un des nouveaux CD rapportés du bureau, en montant les basses. Il pouvait pousser le son jusqu'à vingt-deux heures, avant que la loi permette aux voisins de se plaindre, ce qu'ils n'avaient jamais fait, c'était plutôt eux qui nous saturaient les oreilles avec leurs *Gymnopédies* de Satie jouées sur un piano sans sourdine, et surtout leurs régulières querelles de couple qui finissaient toujours de la même façon, avec les sanglots de la fille qui filtraient par le plafond allégé en surface isolante, puisque, comme je l'ai précisé, nous en avions démonté les lattis.

Quelque chose me retenait d'appeler. Je différais. Je regardais en direction du combiné téléphonique, sur l'une des étagères du bas de la bibliothèque, mais je ne parvenais pas à interrompre Hélène qui me racontait des choses intimes sur son existence, sa nouvelle vie parisienne, ses émois amoureux, je n'osais pas me lever et lui demander si je pouvais utiliser son téléphone, pour joindre Claude, j'avais peur qu'elle trouve cela ringard, et même envahissant, qu'une fille, à peine éloignée depuis une poignée d'heures, éprouve le besoin d'appeler son compagnon. J'avais peur, sans doute, qu'elle me juge comme on juge parfois les couples hétéros – dont on dit aujourd'hui qu'ils sont *hétéronormés* –, et qu'elle imagine que je ne pouvais pas me sentir libre, seule loin de lui, loin de celui qu'elle connaissait et appréciait par ailleurs. Ce qui ajoutait à ma crainte, qui n'en était pas une, mais seulement une vague sensation qui me traversait, était qu'elle croie que je me sente obligée d'appeler parce que j'avais un enfant, et qu'elle constate ou plutôt vérifie que les mères, séparées de leur progéniture, ne sont rien.

Comme sur les couples *hétéronormés*, il court aussi des clichés sur les mères qui ne sauraient pas vivre loin de leurs enfants, qui n'auraient aucun autre sujet de conversation que leurs gosses, d'autres préoccupations, et il faut dire que cela n'est pas totalement faux. J'ai lu récemment un texte de la lacanienne Dominique Guyomard dans *La Folie maternelle ordinaire*, qui pose la douce question de savoir si l'on peut être mère sans être

85

folle. Voilà, comme ça, c'est dit. Hélène n'avait ni homme ni enfant, je ne voulais pas la polluer avec ma possible folie maternelle, qui me fournit, après coup, un début d'explication.

Mais si je suis honnête, je ne voulais pas interrompre ce qu'elle me racontait de ces choses de l'amour, qu'elle vivait, et qui rendait la soirée palpitante. Nous étions en pleine complaisance, en pleine régression de copines qui se retrouvent. Et j'avais aussi simplement la flemme de me lever. Une bonne grosse flemme.

Je me disais malgré tout, Maintenant, tu appelles.

C'était là, maintenant, qu'il fallait téléphoner.

Ce coup de fil, je ne pouvais pas le deviner, ce coup de fil aurait changé le cours de notre existence.

11. Si j'avais eu un téléphone portable

Voilà ce que j'aurais écrit :

Tout va bien ? Ne va pas chercher Théo demain à l'école, il est invité à l'anniversaire de Maxime et remontera avec sa maman. Elle te le ramènera dans la soirée. Voici le numéro. Bonne nuit my love.

Il était à présent plus de vingt-deux heures, et là c'était le moment, c'était l'exact moment où je pouvais faire irruption dans la soirée de Claude, qui avait dû baisser le volume de la musique, et buvait peut-être une bière en rédigeant un article. Mais je n'osais pas davantage interrompre les paroles que me confiait Hélène, toujours aussi intimes et qui me gratifiaient d'une confiance qui me flattait. Je ne pouvais pas, au milieu d'une phrase, au beau milieu d'un récit où elle savait ménager le suspense, alors qu'elle essayait de faire le point sur ses sentiments envers cette femme qu'elle venait de rencontrer, je ne pouvais pas me lever en lui signifiant que j'avais mieux à faire que de l'écouter. Pardon, tu m'intéresses mais j'ai la tête ailleurs, excuse-moi, je dois appeler Claude, un truc à régler.

Je n'osais pas parce que les communications entre Paris et Lyon coûtaient cher et que téléphoner, même après vingt et une heures trente, voulait dire demander une nouvelle faveur à mon amie qui déjà me logeait, même si je sais que cette excuse bidon n'en est pas une.

Disons que c'est un ensemble, un faisceau de microraisons qui, mises bout à bout, commençaient à constituer un empêchement de téléphoner.

Comme les microévénements survenus depuis une semaine finissaient par tisser une toile suffisamment serrée pour qu'ils conduisent inexorablement à l'accident.

La vraie raison je la connais.

Il est possible que ce soit cette vraie raison, et elle seule, qui m'ait empêchée de téléphoner.

Comment m'y prendre pour être crédible, et en premier lieu vis-à-vis de moi-même ?

Ce qui m'a empêchée de me lever du canapé, entre vingt et une heures trente et vingt-deux heures trente, c'est un sentiment particulier qui montait en moi depuis plusieurs années, conditionné par l'époque dans laquelle nous vivions, et qui disait que les pères devaient conquérir une nouvelle place dans leurs foyers. Je voulais que Claude n'ait pas besoin de moi, de mon regard, de mon avis, pour s'occuper de son fils. Je voulais, le verbe est mal choisi, j'espérais qu'il affirmerait sa présence et qu'il construirait sa relation avec son fils, ce qu'il faisait. On dit tant des mères qu'elles sont autoritaires et dévorantes (en plus de la folie que je viens d'évoquer) que j'essayais de me tapir parfois dans un coin, ne sachant jamais si j'en faisais trop ou pas assez. J'essayais de laisser la place.

La presse la plus sérieuse était remplie de ces articles qui regardaient les pères sous un jour nouveau, les intimant de devenir ce qu'on a appelé à cette époque les *nouveaux pères*, autrement dit des êtres moins virils, moins distants, moins absents. Des êtres moins coincés entre leur travail et leurs soirées devant la télévision, selon le cliché qui représentait le Français moyen des générations précédentes, ces paternels silencieux fumant des Gauloises dans la voiture, mettant les pieds sous la table, donnant leur linge à repasser à leur femme. Et n'avaient qu'un intérêt modéré pour leur progéniture.

Ces *nouveaux pères*, à qui les années quatre-vingt-dix ne demandaient plus seulement de subvenir aux besoins du foyer et de le protéger, étaient sommés de se mêler de bien d'autres choses comme participer aux cours d'accouchement sans douleur, apprendre à changer une couche ou donner un biberon, ce qui modifia l'équilibre de plus d'un couple mais n'empêcha pas les femmes de lever les yeux au ciel quand leur mari attachait mal une grenouillère. Il fallait inventer cette place nouvelle, il fallait que les femmes partagent, ce qu'elles espéraient et redoutaient en même temps. Il fallait qu'elles cèdent à des désirs antagonistes, ou plutôt des injonctions, celles dictées par leurs propres mères, par cette société qui évoluait, par leurs propres convictions, pour ne pas dire leurs propres névroses. Cela faisait beaucoup de monde à contenter.

Ce soir-là, chez Hélène, c'est sans doute ce qui m'a empêchée d'agir. Je me souviens de cette phrase qui m'avait percutée, qui disait dans ma tête : laisse les garçons tranquilles, laisse-les se débrouiller. Dans une attitude féministe, dans une volonté d'affirmer mon indépendance. Au fond de moi, je ne voulais pas appeler, je ne voulais pas savoir, ce qu'ils avaient mangé, ce qu'ils avaient fait de leur soirée, si notre fils avait appris sa poésie, à quelle heure il s'était couché, je ne voulais pas savoir quels vêtements Claude choisirait pour le lendemain matin. En fait, je voulais savoir, évidemment que je brûlais de savoir, mais une petite voix me disait de leur ficher la paix.

Tu leur fiches la paix. Tu n'es pas indispensable.

Je voyais l'heure tourner, je me disais que Claude écrivait l'article sur PJ Harvey à l'occasion du concert qu'elle devait donner au Transbordeur de Villeurbanne en ouverture de sa tournée, je l'imaginais en train de fumer la fenêtre grande ouverte sur le mois de juin, entre l'écriture de deux paragraphes, avec sans doute les accords lointains de la Fête de la musique qui se propageaient dans la rue. Je le voyais remettre sur la platine le dernier album de PJ Harvey, *Is This Desire ?*, écouter cette voix et ces accords de guitare attentivement, et préparer les questions de l'interview qu'il avait envisagée, le journal lui avait commandé l'écriture d'un portrait, cet exercice périlleux qui consiste à mêler des données biographiques et musicales, tout en choisissant un angle judicieux, il fallait trouver l'angle, c'était le leitmotiv du journaliste, le mot qui le phagocytait depuis qu'il avait rejoint la rédaction du *Monde* en tant que pigiste il y avait déjà cinq ou six ans.

Je me disais qu'il fallait que j'appelle malgré tout, je n'étais pas totalement en paix. J'avais lâché l'affaire un peu vite. Mais à force de tergiverser, il était bientôt vingt-trois heures, cela devenait presque risible, passer un coup de fil aussi tard pour donner une info aussi minime. Claude avait prévu d'aller chercher son fils et sans doute que cela lui faisait plaisir. C'est ce que je finis par découvrir. Oui, aller chercher son fils à l'école n'était pas une corvée mais une joie. Évidemment que c'était une joie. Comment n'y avais-je pas pensé plus tôt. Il verrait son fils avant l'anniversaire, peut-être même qu'ils s'y rendraient ensemble. Ils se raconteraient plein de choses qui m'échapperaient. Ils feraient les fous sur le chemin, ils s'amuseraient. Je décidais que cela ne me regardait pas. C'était leur vie, c'était demain. Claude était adulte, l'affaire était réglée.

12. Si l'heure des mamans n'avait pas été aussi l'heure des papas

Qu'est-ce qui fait qu'un père qui a des responsa-bilités, qui dirige un service dans un établissement important (la discothèque municipale de Lyon), va chercher son fils à l'école deux fois par semaine et en fait une priorité ? Ce n'est pas dans l'habitude des hommes, et encore moins des cadres, à la fin du XXe siècle, d'interrompre leur journée de travail à quatre heures de l'après-midi, considérer que leur présence n'est plus indispensable, prendre la tan-gente et passer du temps avec leur enfant. Ce n'est pas davantage le choix des femmes, qui tentent des tours de force spectaculaires pour parvenir à conci-lier leur vie de famille, leur vie de couple et leur vie professionnelle. Mais on a déjà tellement glosé sur la question. Chacun fait ce qu'il peut, étranglé par le temps qu'il n'a pas, qu'il grappille, parent frustré de rater ceci ou cela. D'être en permanence dans le décompte des minutes, depuis le matin jusqu'au coucher, une fois que la chambre des enfants est éteinte, et que le grand ouf peut exulter.

J'ai connu un éditeur, mon éditeur d'alors, Jean-Marc Roberts, qu'il me plaît de citer, qui quittait son bureau à dix-sept heures pour aller chercher ses fils à l'école. Alors qu'il aurait pu chaque soir avoir mieux à faire, dans ce cœur parisien où palpitent des enjeux à chaque coin de table. Il s'arrangeait je ne sais comment, il était à l'école à l'heure des mamans, la mal nommée.

Claude était de ceux qui organisaient leur vie ainsi. Il était là le mardi et le jeudi, quoi qu'il arrive, il n'en perdait pas moins sa superbe, son élégance, et j'ose le mot, sa virilité. Il vivait simplement le plaisir qu'a un père à retrouver son fils et il n'en était que plus épanoui. Ça fait vieux jeu de le dire comme ça, mais avoir des enfants, c'est aussi un truc de vieux.

Et puis, il ne faisait pas partie de ces hommes qui se disent débordés, il ne la jouait pas *overbooké*, comme aiment se mettre en scène une partie de mes contemporains. Non, malgré ces deux fonctions qu'il cumulait, la discothèque, le journal, il ne renonçait pas à son flegme apparent, à sa disponibilité, alors que rendre ses papiers à temps et diriger une équipe de quinze personnes lui occasionnaient de sévères montées de stress. Jamais je ne l'ai vu renvoyer à la figure de quiconque cette charge qui lui incombait, au travers de laquelle il aurait pu se valoriser, jamais je ne l'ai senti écraser quiconque, et surtout pas moi qui parfois pleurnichais de ne savoir à quoi, à qui, donner la priorité. Quand j'y repense, il faisait de sa vie ce qui lui plaisait, et aller chercher son fils à l'école, ça l'excitait sans doute davantage que de décréter des réunions sans fin avec les autres chefs, ça lui apportait sans doute cet équilibre qui le tenait debout, qui le rendait lunaire et tellement séduisant.

Je n'ai pas le souvenir que mon père soit jamais venu nous chercher à l'école, mon frère et moi. Si je n'avais pas écrit ces lignes, je ne me serais jamais posé la question. Non, ma mère s'était arrêtée de travailler pour nous élever, comme c'était l'usage dans les années soixante-dix, et c'était elle qui organisait les roulements avec d'autres femmes pour nous accompagner jusqu'à la fin du primaire, et nous faire traverser les deux routes qui séparaient l'appartement du groupe scolaire situé dans un autre quartier de la ZUP. Toutes les voisines s'y collaient. Aucun voisin. Alors que mon père travaillait en brigade à la Poste et était disponible une après-midi sur deux. Mystère.

Ce qui est sûr, c'est que l'école, les heures d'école, les sorties d'école, les vacances scolaires, ce rythme horaire quotidien et saisonnier est la base de l'organisation de nos existences, et nous n'y avons pas échappé.

Si rien n'était arrivé, je ne me serais peut-être pas souvenue de cet arrangement passé entre Claude et moi, de nous partager les jours de la semaine. Je n'aurais sans doute pas repensé que je fonçais sur le périphérique à bord de ma voiture, les lundis et les vendredis, au retour de la banlieue où je travaillais, et que j'arrivais souvent la dernière devant le portail de l'école, le cœur battant et l'estomac noué, après avoir passé les feux à l'orange très orange, dépassé la limitation de vitesse, et collé celui qui roulait devant moi, comme si ma hâte avait eu le pouvoir de le faire avancer plus vite.

Si rien n'était arrivé, je n'aurais pas interrogé cette manie que nous avons, nous autres qui travaillons, de quitter le bureau à la dernière minute, laissant au hasard le soin de faire des miracles, et de nous donner à vivre des heures pleines, tendues, palpitantes, les yeux rivés sur le cadran de nos montres. Je me souviens de la radio que j'écoutais dans la voiture et de l'horreur quand j'entendais le rappel de l'heure, je n'étais que sur la bretelle de sortie du périphérique alors que l'institutrice libérait sa classe, je restais coincée derrière une camionnette alors que les élèves avaient déjà enfilé leurs anoraks, je roulais au pas alors qu'ils avaient déjà traversé la cour. Je découvrais une longue file d'attente au feu alors que mon fils devait me guetter devant l'école. Je me souviens comme ça passait, de justesse, mais ça passait. Ouf.

13. Si mon frère n'avait pas garé sa moto dans le garage de la nouvelle maison

Cela ressemble à un jeu d'enfant. Ou à une phrase qu'on apprend à construire au cours élémentaire : Mon frère gare sa moto au garage. Sujet, verbe, compléments.

J'ai toujours été obsédée par la place de chacun. Qui fait quoi dans ces lieux intimes, les appartements, les maisons que nous habitons, qui dort dans quelle pièce, qui fait la sieste sur le canapé du salon, qui monopolise la salle de bains. Comment on circule dans les couloirs et les escaliers, comment on s'évite, comment on se gêne et s'épie. Comment on organise nos vies sur ces extensions que sont les balcons, les terrasses, les cabanes de jardin, les garages.

C'était la première fois que nous disposions d'un garage à domicile. Et c'était un privilège dont nous avions conscience. Claude louait jusqu'à présent un box collectif à trois cents mètres de l'appartement pour sa Suzuki, juste en face de l'école primaire. Ceux qui vivent avec un motard savent l'attention portée au garage, pour ne pas dire l'obsession. Depuis toujours, et après qu'il se soit fait voler plusieurs motos, le concept de garage faisait partie de son quotidien, son coût, son éloignement, la liste l'attente sur laquelle il fallait s'inscrire pour finir par en disposer. Sans compter que le garage est aussi l'endroit où le motard bricole, et entrepose clés de 12, huile de moteur, lubrifiants et autres peaux de chamois pour faire briller les chromes. Nos conversations étaient truffées de références à ce lieu obligé, dont la plus fréquente : *Je vais bricoler au garage.* Le garage était l'indispensable prolongement de l'appartement, un domaine réservé, dans lequel je n'avais rien à faire, trop nu, trop rêche, trop humide, hostile en somme. Un endroit où je n'avais pas les codes, où je ne savais pas où mettre les pieds sans prendre le risque de me salir, de marcher sur une tache d'huile ou de renverser un bidon. Et puis ça puait.

Après l'école, Claude bricolait souvent au garage, et notre fils n'ignorait rien de la façon de changer l'ampoule d'un phare ou retendre le câble d'un frein. C'était avant les freins à disque, je sais. Le garage était l'endroit où le père et le fils parlaient une langue sans mots, faite de gestes techniques et de la patience qu'il faut pour éclairer, avec une lampe électrique, la zone à rafistoler. C'était leur domaine secret, leur union complice, leur vie sans moi.

Le garage c'était l'endroit où il faisait froid, je me souviens que nous nous y réfugiions, Claude et moi, pour fuir les regards quand nous avions dix-huit ans, dans la banlieue où nous vivions. Claude avait déjà une moto, c'est aussi ce qui m'avait séduite, je crois, je l'ai toujours vu un casque intégral à la main, avec cette grosse paire de gants de cuir dont il ne savait que faire une fois descendu de sa bécane.

Quand Claude et son fils rentraient du garage, ils avaient le plus souvent les mains gelées et les joues rouges. Et du cambouis sur les genoux du pantalon. Ils avaient dans les yeux cet éclat que j'aimais.

Je repousse le moment de parler de la moto de mon frère. Celle qu'il a garée dans le garage de la nouvelle maison. Cette moto sur laquelle je dois faire une focale. Parce que ce n'était pas n'importe quelle moto.

14. Pourquoi Tadao Baba, l'ingénieur japonais qui a révolutionné l'histoire de la firme Honda, entre-t-il par effraction dans mon existence

Comment aurais-je pu imaginer que le Japon, pays où je n'ai jamais mis les pieds, éloigné de mon centre névralgique de presque dix mille kilomètres allait décider de la suite de mon existence, ou plutôt allait la broyer, par l'intermédiaire d'un constructeur parmi les plus prestigieux au monde, et de l'ingénieur à l'origine de la création de la fameuse Honda 900 CBR Fireblade (Lame de feu) sur laquelle Claude roulait le jour de l'accident, Tadao Baba.

C'est un pays que nombre de mes amis français vénèrent. Certains d'entre eux vivent même *à la japonaise*, préférant les tables au ras du sol, les baguettes aux fourchettes, épousant parfois les préceptes du shintoïsme, ainsi que des femmes japonaises qui, il faut le reconnaître, sont d'un raffinement troublant.

C'est un pays dont j'ai lu une partie de la littérature, dont je connais l'histoire récente et dont je comprends que Philippe Forest, dans *Sarinagara* (qui signifie, en japonais, « cependant »), ait envisagé un puissant écho entre le deuil intime autour duquel il écrit, et le deuil collectif d'une nation en partie massacrée par la bombe atomique.

C'est un pays qui force le respect, dont le code d'honneur est une leçon donnée à la terre entière, ainsi qu'une porte ouverte sur l'effroi, et dont l'avance technologique nous a sidérés. Les musiciens et les motards le savent, qui ont acheté Honda, Yamaha, Kawasaki, Suzuki, Sony, Casio, Hitachi, vénérant les marques qui leur ont donné le son, la vitesse, la précision, le grand frisson. Chacun sait comment le synthétiseur Yamaha DX7 a révolutionné la musique pop des années quatre-vingt. *All around the world.* Claude n'avait évidemment pas échappé à la règle quand il avait acquis son premier clavier. Sequential Circuit, dont je parle aux premières pages de ce livre, était une société américaine rachetée par Yamaha.

VIVRE VITE

J'aurais aimé rencontrer Tadao Baba, l'ingénieur nippon à l'origine de la création de cette impressionnante moto. J'ai cherché à voir son visage par tous les moyens, j'ai découvert un portrait qui l'affiche, souriant, plein de charme, une cigarette à la main et les dents un peu jaunies. Dans sa soixantaine éclatante. J'ai même trouvé des tee-shirts à son effigie, belle gueule, mèche poivre et sel (photograph by Roland Brown), et inscription en capitales : BABA. 50 % cotton/50 % polyester blend. Soldés à 14,91 euros sur le site de vente Pixels Shopping. En parcourant le site, je trouve aussi cette même photo de Tadao Baba, *Honda Fireblade designer*, imprimée sur une gamme entière de produits dérivés, coffee mugs, bath towels, tote bags, spiral notebooks, shower curtains, duvet covers, yogamats, iPhone cases ou greeting cards. J'en déduis que Baba est une star. Je reste sidérée. Un rideau de douche à son effigie, tout de même.

Honda lui avait demandé de créer la Honda 900 CBR Fireblade pour la compétition. L'idée avait été d'imaginer un quatre-cylindres en ligne capable de prendre la relève de la légendaire Honda d'endurance RVF 750, pour concourir aux 8 Heures de Suzuka, la célèbre course près de

Kyoto. J'ai dû vérifier ce que signifiait « cylindre
en ligne », même si je me doutais que c'était des
cylindres alignés (oui, quand même) et je l'atteste.
Par la même occasion m'est revenue à l'esprit cette
histoire de *carburateurs flingués*, le titre de ce dernier livre que Claude était en train de lire, et j'ai
eu la confirmation que cette même Honda 900
était bien équipée d'un carburateur, et non pas
d'un moteur à injection électronique, comme c'est
le cas de nos jours pour pratiquement tous les véhicules.

Pardon d'entrer ainsi dans les détails. Il a été
demandé à Tadao Baba de « réaliser une moto dont
les qualités en termes de freinage et de maniabilité
seraient inédites, une machine aussi intuitive dans
ses réactions qu'une moto de course, mais corres-
pondant à une fabrication de grande série ». Je
garde volontairement les termes utilisés sur l'histo-
rique de la firme Honda, validés par le service communication de la plus haute instance, pour que
vous puissiez juger de la subtilité et de l'élégance
du langage. Ce qui signifie, dans un énoncé plus
trivial, fabriquer une moto de course sous des
allures de routière. Cela s'appelle un leurre. Cela
s'appelle le génie marketing, celui dont il faut faire

preuve pour rester très haut placé dans la compétition mondiale.

On dit que Tadao Baba n'était pas un ingénieur comme les autres. Entré chez Honda à dix-huit ans, en 1962 (la marque n'avait alors que dix ans d'existence), il n'a pas suivi un parcours classique. Il a appris son métier sur le tas, ce qui est sans doute la meilleure des écoles, et a d'abord fabriqué les culasses et les vilebrequins des petites CB 72 et CB 77. Jusqu'à développer les techniques les plus innovantes. On dit qu'il essayait lui-même ses modèles, qu'il était un « homme impétueux » et qu'il chutait parfois en essai, sur ses CBR. Qui devaient l'envoyer au sol comme un cheval son chevaucheur au cours d'un rodéo. Il s'était vraiment construit une légende. J'en ai froid dans le dos. Sauf que Tadao effectuait ses essais sur des pistes protégées réservées à cet usage. Et non pas, comme ce fut le cas pour Claude le mardi 22 juin 1999, sur un boulevard du centre-ville très emprunté.

Tadao Baba était aussi un poète. D'un genre inspiré et subtil. Aérien et elliptique, à la japonaise. Il avait fait graver à l'intérieur gauche du carénage du modèle 900 CBR (particularité de ce fameux modèle 1998 sur lequel Claude roulait) : « *For the people who want to know the meaning of light weight.* »

Qu'on peut traduire ainsi : « Pour ceux qui veulent savoir ce que légèreté veut dire. »

Tous les sens du mot légèreté.

Comme on fait graver des initiales à l'intérieur d'une bague de mariage, en toute discrétion.

15. Pourquoi la Honda 900 CBR Fireblade, fleuron de l'industrie japonaise, sur laquelle roulait Claude ce 22 juin 1999, était-elle réservée à l'exportation vers l'Europe et interdite au Japon

Mais voilà, puisque j'ai regardé de près, puisque j'ai été obligée de chercher ce qui n'est pas visible à l'œil nu, j'ai forcément fait des découvertes, y compris des découvertes difficiles à encaisser. Mais c'est le lot de celui qui cherche que de tomber sur des os, si l'on peut dire. En l'occurrence, l'os le plus explicite, c'est un accord passé entre le Japon et l'Union européenne qui permettait à la France et certains autres pays de commercialiser la Honda 900 CBR Fireblade dès sa création, en 1991, où elle fut présentée au Salon de la moto de Paris, et fut l'un des clous de cette édition, alors qu'elle

demeurerait interdite au Japon, jugée trop dangereuse. Interdite à la ville, réservée à la compétition.
Un film de quatre minutes, tourné en direct du
Salon, présente cette nouvelle *super sport* dont les
performances sont comparables aux 1000 de cette
catégorie. Avant que des modifications sans cesse
opérées depuis augmentent considérablement le
rapport puissance/poids (130 chevaux/180 kg,
pour les connaisseurs), ce qui lui permettait
d'atteindre la vitesse de pointe de 270 kilomètres/
heure au compteur pour le modèle qui nous
occupe, c'est-à-dire la version 1998, ou 4ᵉ génération. Tadao Baba était ainsi encouragé par sa firme
à ouvrir une course inédite à la puissance.

Que cette moto n'ait pas été commercialisée au
Japon parce que jugée trop dangereuse ne passe
pas. C'est le détail de trop sur lequel je bute.
Je le sais depuis la semaine qui a suivi l'accident,
depuis le jour des obsèques où le beau-frère de
Claude, motard chevronné et grand ponte professionnel du permis moto, qui avait partagé son
enfance à la ZUP de Rillieux avant de se marier
avec sa sœur Nicole, avait rappliqué avec de l'affection à revendre et ce scoop auquel je ne m'attendais
pas, confirmé par la suite par certains amis adeptes

du deux-roues, qui laissaient entendre que c'était chose connue dans le milieu. Les accidents sur des 900 CBR, ils en avaient tous entendu parler. C'était des motos qu'ils qualifiaient d'*inroulables*, qui étaient faites pour la piste, pour le circuit.

Paul m'expliquait que pour certains modèles, il y avait veto au Japon, comme pour la 750 Kawasaki Ninja, sur lesquelles les jeunes Français, Italiens ou Espagnols au sang chaud, se ruaient, la nommant avec malice la moto de la mort, ou le cercueil roulant. C'était pareil pour la Honda 900 CBR, une machine pour initiés, une bombe pour kamikazes. Interdites chez les Nippons qui n'avaient pas envie de s'envoyer dans le décor, avec leurs routes le plus souvent étroites et sinueuses. Leur industrie distinguait la production nationale, et l'export. Comme toutes les industries, mais sur de drôles de critères. Paul me racontait aussi que les motards français se payaient la tête des Japonais : *on a des meilleures motos que les leurs, et c'est eux qui les fabriquent !* Comme si c'était un privilège, comme si cette liberté marquait une nouvelle fois la supériorité du Français sur le monde entier. C'est eux qui les fabriquent, mais c'est nous qui en mourons. Un peu comme les armes que l'industrie française envoie par-delà les océans. Sauf qu'une arme, on peut deviner que c'est fait pour tuer.

Certains amis m'invitaient à faire un procès. Mais l'issue n'aurait rien changé, et je n'envisageais pas de passer le reste de ma vie à essayer de démontrer qu'un homme est mort à cause d'une moto surpuissante, j'aurais eu le même mal que ceux qui souffrent d'avoir inhalé de l'amiante, ingéré du glyphosate ou d'avoir été irradiés pendant leur service militaire dans le Sahara algérien. Il m'aurait fallu rassembler des preuves et encore des preuves, et faire réaliser des expertises, et ne jamais sortir la tête de l'eau. Et puis comment prouver que ce qui a été homologué par l'État français est en réalité un piège redoutable. Qui homologue le fait qu'une moto construite pour la compétition est habilitée à rouler sur les routes de France, d'Espagne ou d'Italie ? Homologué, ça veut dire quoi ? Là encore je découvre que le rapport au danger, c'est-à-dire cette équation poids/puissance, n'est pas un critère. Sont pris en compte par la DREAL (direction régionale de l'environnement, de l'aménagement et du logement), responsable des essais : les clignotants, les feux stop, les rétroviseurs, la plaque d'immatriculation, les normes de pollution, les

110

décibels. Rien sur la dangerosité, même si de nos jours la sécurité a fait d'énormes progrès, avec des *anti-patinages*, des *anti-wheelings*, un système de freinage *ABS*, un *mode pluie*... ce qui doit tout de même limiter les dégâts.

Claude aurait dû être maître de son véhicule, d'après le code de la route. Ce qui est tout le problème, nous y reviendrons plus tard. Puisqu'on ne connaît aucune cause à l'accident, c'est ce que dit le rapport de police. Même s'il paraît obscène que ce qui est considéré comme dangereux pour les Japonais ne le soit pas pour les Français. En vertu de quel traité d'exportation, de quelle balance commerciale, de quels échanges, de quelle mondialisation, de quels critères économiques ?

J'ai passé du temps à chercher, à tourner autour de ce scandale et des traces encore visibles de cette anomalie. Je veux dire des traces laissées sur Internet (mais à l'époque pas d'Internet donc peu de mots), des témoignages, des blogs, des forums de discussion, et même des revues. Je voulais en avoir le cœur net, était-ce Claude, était-ce la moto ? Était-ce le fait de ce destin dont je parle plus haut ? Était-ce l'immaturité, de celui qui prête, de celui qui prend ? Était-ce une plaque d'huile sur la chaussée, une piqûre de guêpe, le soleil dans les yeux, un chat qui traverse ? Était-ce la joie, l'enthousiasme qui fait qu'on accélère trop fort ? Était-ce l'angoisse du déménagement ? Vous savez comme il est nécessaire d'attribuer la faute. Même si c'est à soi.

Je suis retournée sur les lieux, j'ai tout considéré, la trajectoire est-ouest, le pollen qui vole entre les platanes à cette saison, les deux passages protégés, l'arrêt de bus, l'emplacement des poubelles, les places de stationnement, le croisement avec la rue Jacquier, les portails des demeures bourgeoises qui longent le boulevard, les noms sur les boîtes aux lettres, à la recherche d'un signe.

Et puis cette moto, c'est terminé, cette Honda mensongère a fini par être retirée de la vente en 2004. Sur le site actuel de la firme Honda, une merveille de site Internet élégamment agencé, il est dit qu'elle a laissé la place à la 1000 CBR Fireblade, classée dans la catégorie *sportive*, et non plus *routière*, cette fois, ce qui clôt le débat. Le titre choisi pour chapeauter la rubrique est *Une puissance absolue.* De confusion, il n'y en a plus, de passé trouble non plus.

Il me reste les sites de journaux, genre *Auto Moto*, *Moto Journal* ou *Moto Mag*, sur lesquels les journalistes publient essais et commentaires. Ce que je lis est éloquent, à savoir par exemple que la Honda 900 CBR « autorise, à vos risques et périls et dans des conditions proprement abominables, un petit 260 compteur ». Je me familiarise avec la terminologie de la catastrophe, ce lyrisme de la mise en danger, qui doit galvaniser le candidat potentiel au grand frisson.

Un journaliste renchérit : « La Honda 600 CBR était hargneuse, mais il lui manquait des chevaux pour la rendre dangereuse. Avec le moteur de la 900, on passe le cap. »

Et pour appuyer cette intéressante révélation : « Le 4-cylindres en ligne en provenance du 900 CBR de 1991 a été retravaillé pour gagner en puissance et en agressivité. Avec toute la pêche qu'il délivre, on a vite fait de se retrouver en *wheeling*. Les débutants devront passer leur chemin pour un modèle plus adapté, faute de se faire peur, voire pire. »

Sic.

C'est ce qui s'est produit pour Claude au démarrage à un feu. Une roue arrière, puis une perte de contrôle, puis en effet le pire. Celui-là même annoncé très sérieusement sur les essais d'un journal moto.

Wheeling signifie roue arrière, personne (à part les motards) n'utilisait cette expression à l'époque. Elle est à présent au goût du jour avec les récents rodéos dans les banlieues, qui ne sont autre chose que des concours de *wheeling* à grande vitesse.

Je n'en reviens pas que ma vie ait parfois été réduite à cela, à ce temps que j'ai passé à essayer de glaner des informations sur ces sites de moto. Je cherchais une petite communauté qui, comme moi, aurait fait les frais de la dangerosité de cette Honda. Même si je ne voulais pas être victime, je voulais juste avoir confirmation de mon intuition. J'ai tenté de poser des questions prudentes, sous pseudonyme, j'étais devenue *Carburateur flingué*. J'ai attendu qu'on me réponde, qu'on me renseigne, j'avais peur de crouler sous les témoignages, mais personne n'a jamais donné signe de vie, ce qui m'a semblé étrange. Comme s'il y avait une volonté d'effacer les mauvais souvenirs. Comme si un tri était fait entre le correct et l'impensable. Par qui serait fait ce tri ?

Ça m'en coûtait, ce n'était pas mon élément, d'aller échanger avec ces motards dont j'imaginais qu'ils n'avaient d'autre conversation que des histoires de chevaux sous le moteur, comme ironisait parfois Claude. Mais c'était un passage obligé, une des pièces maîtresses du puzzle que je commençais à reconstituer.

J'imagine la moto qui sort des ateliers Honda à Osaka en cette année 1998, le transport en camion, route, autoroute, corniche au-dessus du port, puis l'embarquement sur un cargo. Formalités de douane. Onze jours de traversée, mer et océans houleux, équipage. Canal de Suez. Méditerranée. Océan Atlantique. Arrivée dans le port du Havre. Déchargement, grues, dockers, mouettes, piquet de grève levé in extremis, stockage dans les entrepôts avant l'autorisation d'importer. Tamponner les bordereaux de livraison, levée douanière, chargement sur un camion de marque Renault Truck, chauffeur routier, qui aime ça, livrer des motos, il est lui-même motard, c'est un Polonais, c'est l'Europe. Homologation. Entrepôts Honda en banlieue parisienne. 1 véhicule commandé par mon frère, livraison à l'automne 1998 chez un concessionnaire de Lyon. Octobre, novembre, décembre, janvier, février, mars, avril, mai. Dans le garage de mon frère, c'est loin, inexistant, inoffensif. Puis soudain, stocké chez moi chez nous, dans le garage de la nouvelle maison, dans laquelle nous devons emménager le samedi 26 juin 1999. Ça entre par la porte, intrusion.

Je résume.
La maison, les clés, le garage, ma mère, mon frère, le Japon, Tadao Baba, la semaine de vacances, Hélène, mon service de presse. Ça commence à faire un sacré bordel.

16. Si je n'avais pas rendu service à mon frère

On peut s'interroger sur cette notion si élémentaire de rendre service. Ce qui est à moi est aussi
un peu à mon frère. Depuis l'enfance. Je donne, je
prends, je rends. Une fois toi une fois moi. On est
en famille, on s'engueule, on se toise, on s'insulte
en secret parfois, à cause des convictions politiques,
à cause de cette incompatibilité. Avec l'amour qui
va avec, ça fait une mer agitée. On monte au cré-
neau, souvent on n'en croit pas ses oreilles, mais
on trinque à l'anniversaire du petit dernier. On
parvient à sauver cela. On se dit des phrases sèches,
on ne se comprend pas, ça tangue sévèrement
quand l'un des deux défend son opinion, on se
vole dans les plumes, et pourtant on se concerte
pour le cadeau des parents. On passe sur les entête-
ments, les égarements, on ferme les yeux sur les
choix de vie, on est tolérant. C'est le mot sacré, la

tolérance. On tolère parce que frère et sœur. Mais au fait, faut-il tolérer ? Je ne me prétends pas plus maline. Je fais parfois la leçon en grande sœur que je suis, et je m'en veux de ce ton supérieur qui finit par m'échapper. Je m'entends reprocher de faire partie de la gauche moraliste, si je les aime tant les immigrés, pourquoi je ne vais pas vivre avec eux. Moraliste est devenu islamogauchiste avec le temps. C'est ce genre de pique, c'est de cet acabit-là. Frère et sœur malgré tout. Même en se tordant le ventre, en se bouchant le nez.

Mon frère me fait profiter des prix qu'il sait négocier dans les magasins, ce dont je suis incapable. Je lui conseille, alors qu'il a vingt ans, de ne pas s'engager pour la guerre au Liban. Un conseil contre des produits tombés du camion. Il me fournit en accessoires auto, je garde sa fille le mercredi.

Il fait de la moto, comme Claude, il aime les sportives, merci on a compris, Claude roule tranquille sur des customs inoffensives, ils parlent parfois mécanique, pilotage et équipement. Ils ont leur pré carré, leur zone de conversation, leurs connivences de beaux-frères. Leurs bons plans compagnies d'assurances.

Aurais-je pu dire non ? Non, tu ne gares pas ta moto dans mon garage. Non, je ne le sens pas. Mais je n'avais aucune réticence, aucune réserve, rien ne m'a dérangée, vraiment rien. Au contraire, j'étais contente de rendre service, tellement heureuse d'avoir enfin pu acquérir cette maison, ce lieu inespéré que nous allions transformer pendant les mois d'été et toute l'année à venir. J'étais contente de rendre service à mon frère, qui lui n'avait pas les moyens de s'offrir une maison. En même temps, s'acheter des motos à 10 000 euros. Complexe peut-être, culpabilité de celle qui a eu les moyens de le faire, alors bien sûr, je me souviens que je disais à qui voulait l'entendre que la maison était à tous, un communisme d'un genre nouveau, incluant la propriété privée.

Mon frère a garé sa très encombrante Honda dans le garage, ou plutôt la pièce au rez-de-chaussée supposée devenir le futur salon, dès le vendredi 18 juin en fin de journée. Il a fixé une chaîne antivol des plus robustes à la roue avant, qu'il a attachée à un poteau de soutènement (la pièce était une ancienne étable – on voyait encore la marque des mangeoires dans les murs –, avec au-dessus, une grange à foin dont le poids avait fait plier les

poutres avec le temps, ce qui avait nécessité l'installation d'étais, m'avait expliqué un maçon à qui
j'avais demandé, quelques années plus tard, si je
pouvais supprimer ces poteaux en plein milieu du
futur salon), en déclarant que celle-là, il n'était pas
question qu'on la lui vole. Il a caressé la selle de sa
machine comme on flatte la croupe d'un cheval,
avec cette affection dont il était capable à l'égard
de ses bécanes, et il s'est éloigné comme à regret.
Sa femme l'a ramené chez eux en voiture. Il est
parti en vacances tranquille, avec sa femme et sa
fille, mais sans notre fils, et il était entendu qu'il
récupérerait sa moto à son retour, une semaine plus
tard.

Claude a dit à notre ami Marc, avec qui nous
avions passé un moment le dimanche sous le cerisier, à tester le salon de jardin tout juste acheté aux
puces, Claude a dit en désignant la moto dont la
présence massive perturbait l'atmosphère du rez-
de-chaussée : *Ça, c'est interdit, une vraie bombe, il
ne faut pas y toucher.*

Marc me l'a répété après.

17. Si Claude n'avait pas pris la moto de mon frère

Marc me l'a répété, parce qu'il ne comprenait pas ce qui s'était passé pour que Claude ait changé d'avis.

Qu'est-ce qui lui a pris d'aller travailler, le mardi 22 juin au matin, avec la moto de mon frère, et pas avec sa propre moto, sa Suzuki inoffensive, sur laquelle il roulait *plan-plan* comme il disait, garée dans le garage en face de l'école primaire. Que s'est-il passé ?

Il a dû hésiter longuement parce que, pour piloter la Honda 900 CBR, il fallait souscrire une assurance nominative. C'est ce qu'avait dit mon frère un jour, me semble-t-il. Cette moto spéciale, cette sportive surpuissante, aucune compagnie ne voulait prendre le risque de l'assurer.

C'était une façon de nous impressionner, je
crois, de souligner le fait qu'il roulait sur une moto
pas comme les autres. C'était le signe de distinction dont mon frère avait sans doute besoin. Ou
alors était-ce une façon de nous dire qu'il se mettait
en danger et que nous aurions dû nous inquiéter
pour lui.

Mon frère devait payer une somme monstrueuse. Je ne me souviens plus du nom de cet
assureur, que j'ai appelé la semaine qui a suivi
l'accident, pour vérifier que Claude avait fait le
nécessaire. Ce qui aurait changé la donne, sur le
plan strictement financier, évidemment. La Mondiale, ça me revient. L'assureur de La Mondiale
m'avait répondu que non, que personne du nom
de Claude S. n'avait souscrit une quelconque assurance ce jour-là. Ce qui m'avait sidérée, tant cela
ne lui ressemblait pas.

Qu'il ait pris cette moto dont il avait déclaré
l'avant-veille que c'était une bombe à ne pas toucher m'a toujours semblé un mystère difficile à
éclaircir. Qu'il ait omis de s'assurer me stupéfie.
Quelque chose ne colle pas. Au fil du temps je me
suis demandé si l'assureur ne m'avait pas menti,
quelle preuve j'avais, finalement, il ne s'était agi
que d'une conversation au téléphone après tout, et

à l'époque on n'avait pas de journal d'appel sur le téléphone fixe. Il aurait fallu que je demande le relevé auprès de France Telecom, mais j'étais trop sonnée pour entreprendre une telle démarche. J'ai cru l'assureur sur parole. Je n'avais pas l'idée de contester. Je n'y ai tout simplement pas pensé.

La Mondiale, la bien nommée, qui assurait ces motos, purs produits de ce que la mondialisation a de plus dégoûtant.

J'ai maintes fois essayé de retracer la dernière journée de Claude.

Réveil à sept heures, réveil de notre fils dans la foulée. Petit déjeuner silencieux avec les cheveux pas coiffés. La radio en fond sonore. Claude renverse du café, comme le plus souvent. Notre fils met en route le moulin à paroles. Est-ce que maman rentre ce soir ? Est-ce qu'elle prend le train ? Est-ce qu'elle sera là pour manger ? (J'imagine qu'il posait ce genre de questions, comme me l'avait dit un jour Claude, il n'en a que pour toi quand tu es absente, et c'était pareil dans l'autre sens, à moi il parlait beaucoup de son père, il voulait tout savoir.) Est-ce qu'on ira voir la nouvelle maison ? Est-ce qu'on emmènera d'autres jouets ?

Est-ce que je pourrai la montrer à Louis ? C'est pour cela aussi qu'il est avantageux d'avoir deux parents, chacun est le témoin de cet amour que l'enfant éprouve pour l'autre. Ce bonheur d'être le témoin et le confident.

Douche longue pour Claude, avec de l'eau très chaude, il rêvait de ce pommeau large qui s'abat comme un rideau et qu'il projetait d'installer dans la nouvelle maison. Douche rapide pour notre fils qui préférait passer à travers les gouttes. Séquence habillage. Il remet probablement les vêtements de la veille, même short, même tee-shirt, à moins que. Les chaussures lacées en vitesse, ou plus simple, il préfère ses sandales à scratch. Les vêtements que portait Claude, l'hôpital me les rendra dans un sac-poubelle, que je n'oserai pas ouvrir la nuit qui a suivi. La chemise avec deux boutonnières déchirées, le Perfecto découpé dans le sens de la longueur.

La pente dévalée parce qu'ils sont en retard comme chaque jour. Claude accompagnait son fils tous les matins, c'était pratique, l'école en face du garage, je me répète, oui je me répète, mais cela fait seulement vingt ans que je me repasse la scène. La course au petit trot sur le trottoir de gauche, le cartable léger (c'est la fin de l'année) qui ballotte dans le dos. Le fils devant le père (il m'était arrivé parfois de les regarder descendre depuis la fenêtre de la salle de bains où je me préparais, avec un temps de retard sur eux). Je crois que c'était le moment parfait, moi derrière la fenêtre qui les couvais du regard, le verbe n'est pas trop fort, j'étais consciente de toute cette beauté, cette chance que j'avais. Le baiser rapide devant le portail de l'école n'était pas à portée de ma vue, ou la main dans les boucles de cheveux, ou les deux. J'ignore comment ils s'étaient dit au revoir ce matin-là.

Et après ?

L'option simple et logique et normale et préférable : traverser la rue devant l'école, descendre quelques marches d'escalier, franchir une petite cour, parcourir trente mètres, ouvrir la porte basculante en Inox du garage collectif. Se frayer un passage entre les voitures, les remorques, et sortir sa Suzuki 650 Savage, ce qui nécessitait un savoir-faire spécial. Enfiler les gants, le casque. Fermer le garage. Faire quelques pas dans la cour avec le casque sur la tête. (Vous avez remarqué comme les motards ont l'air patauds, quand ils se changent en

piétons, dès lors qu'ils gardent leur équipement.
Avec ce casque volumineux et cette allure d'alien.)
Démarrer en deux ou trois coups de kick (je ne
sais plus si la Savage avait un démarreur électrique,
mais peu importe, j'aime me remémorer ce geste
unique, cette façon de faire peser le poids du corps
sur la pédale pour que jaillisse l'étincelle, j'aime
revoir la silhouette de Claude dans ce qu'elle avait
de plus familier, de plus singulier, et qui l'aurait
distingué entre mille, ce mélange de virtuosité et
de proximité avec sa machine, ce truc de connais-
seur qui démarre son monocylindre au doigt et à
l'œil) et rouler jusqu'au travail. C'est-à-dire parcourir environ quatre kilomètres et demi en centre-
ville, traverser le pont de la Boucle sur le Rhône,
emprunter le boulevard des Belges, puis la rue
Garibaldi, rejoindre le boulevard Vivier-Merle en
face de la gare de la Part-Dieu. Et arriver à la discothèque un peu avant neuf heures.

À quel moment Claude a-t-il pris conscience
que tous les éléments étaient réunis pour diverger
de ce scénario ? Autrement dit, remonter jusqu'à la
nouvelle maison six cents mètres plus haut et
prendre la moto de mon frère cadenassée au
poteau ? L'avait-il prémédité ? Depuis la veille,

depuis la nuit, dans le silence du coup de fil que je n'avais pas passé ?

Ou s'est-il rendu compte que tous les voyants étaient au vert, si l'on peut dire, au matin du 22 juin, une fois qu'il a accompagné son fils à l'école et qu'il est traversé par la lumière de ces premiers jours d'été, la chaleur, l'odeur des tilleuls en fleur, le ciel d'un bleu enivrant, qui décuple la joie et l'énergie ?

A-t-il eu un flash, au moment d'ouvrir la porte en Inox du garage, s'est-il senti libre soudain parce que seul, très libre et très jeune d'un coup, libre et connecté à la fougue de ses vingt ans qui lui revenaient comme un flash, du fait − c'est une hypothèse − qu'il n'avait ni sa femme ni son fils dans son champ de vision, était-ce mon éloignement qui jouait, géographique, mais aussi l'éloignement plus profond de celle qui investissait à Paris le monde littéraire, ce qu'il avait dû commencer à ressentir, et qui infléchissait forcément, même de façon minuscule, sa perception des choses ?

A-t-il simplement eu cette envie de gosse, archaïque, viscérale, de piloter une grosse machine, de s'offrir une sensation dont il se souviendrait, une injection d'adrénaline, comme le shoot que procure parfois le rock'n'roll auquel il n'avait jamais renoncé ?

C'était là, c'était maintenant, c'était à portée de main, essayer une moto comme n'importe quel homme essaie une voiture de grosse cylindrée, fait ronfler le moteur, crisser les pneus, n'était-ce pas l'image qu'avaient charriée tous les films d'action depuis que le cinéma existe, magnifiant ces héros qui s'adonnent à des courses-poursuites aussi basiques que jouissives – autant pour le conducteur que pour le spectateur – et qui perpétuent l'une des histoires les plus universelles qu'ait connue l'homme moderne, à base de vitesse, de prise de risque, de virilité (encore), dont le destin bascule avec l'apparition du moteur à explosion, et du fameux carburateur, celui-là même qui occupe tout mon paysage intérieur. *Carburateur flingué.* Carburateur flingueur.

Le désir de se changer en aventurier surgit un mardi matin à huit heures trente et intime à Claude une suite de transgressions. Soit, ce n'est pas Mad Max, c'est moins spectaculaire, c'est un genre d'équipée sauvage pendant les heures d'école.

Claude l'élégant, le raffiné, le discret, le modeste, c'était son autre visage, sa face B. Je l'aimais aussi pour cela.

La logique des autres est un mystère, ce qui se passe dans leur cerveau fait penser, parler, écrire pendant des années. Comment change-t-on une attitude raisonnable, prévisible, qu'on peut nommer adulte, en une attitude transgressive et fantasque. Qu'est-ce qui fait de soi un petit-bourgeois à un moment, qui contracte un prêt immobilier à la banque, un bon père de famille, et un punk à un autre, prêt à en découdre, à *tout saloper*.

Il fait trop chaud, n'y va pas.
Ne monte pas la pente. Ne sens-tu rien qui te menace.

Claude a parcouru les six cent cinquante mètres (je viens de vérifier sur Google Map) jusqu'à la nouvelle maison (ou maison des Mercier), casque sous le bras, Perfecto sur le dos. La pente est raide. Il marche avec la jambe droite légèrement rentrée, ce que j'avais remarqué quand j'avais dix-sept ans, la première fois qu'il était venu me chercher au lycée sans sa moto. Cela nécessite un effort. Il faut être déterminé pour monter une pente aussi pénible que la montée du Belvédère. Il faut l'avoir décidé. Il avance, il peine un peu. Peut-être même qu'il s'arrête en route et qu'il reprend. Je ne l'imagine pas. Je vois flou.

Quelque chose cloche.

Il a détaché la Honda 900 CBR qui attendait dans le garage, ce lieu obscur et inhospitalier dans lequel n'avait pas encore été installée la baie vitrée que j'ai fait poser des années plus tard.

Il a chevauché la moto, a sans doute eu du mal à déplacer les 183 kilos (trois fois son poids) même si Tadao Baba s'est évertué à obtenir une cylindrée ultralégère, il fallait tout de même savoir la manier.

Il l'a démarrée. Démarreur électrique, info vérifiée.

Mais comment a-t-il eu les clés ? (Et je ne parle même pas des papiers.)

Les clés, j'insiste lourdement, il se les est procurées comment ? Je n'ai pas le souvenir que mon frère. À moins que.

Si j'avais téléphoné la veille au soir, depuis *mon* canapé parisien, quelque chose dans ma voix l'aurait-il empêché de prendre la moto ?

Il n'y a que de mauvaises questions.

18. Si Stephen King était mort le samedi 19 juin 1999

J'ai cherché l'événement, la nouvelle, le grain de sable ou le fait divers d'ampleur internationale qui aurait pu détourner Claude, et éviter qu'il prenne la Honda. Qu'aurait-il fallu pour que Claude soit en alerte, quelle révélation, quel titre dans les journaux, pour qu'il sente l'odeur de danger qui flottait dans l'air ce jour-là.

J'ai voulu relever tout ce qui s'était passé dans le monde la veille du 22 juin 1999, l'avant-veille, et l'avant-avant-veille, qui aurait pu contrarier le destin, qui aurait pu lui faire prendre conscience de la fragilité des jours, qui aurait pu l'effrayer, lui filer une bonne grosse trouille, de celles qui vous font traverser dans les clous. Mais je n'ai trouvé que des infos pas folichonnes, des comptes rendus de la routine un peu molle qui s'était emparée de la planète en cette toute fin de XXe siècle.

Je n'ai trouvé que des résultats sportifs pas renversants, comme le fait que l'Australie se soit imposée en cricket face au Pakistan, des considérations économiques soporifiques, du type Elf perd la bataille pour le contrôle du pétrolier Saga, des infos de politique internationale, j'ai trouvé des nouvelles des médecins-inspecteurs de santé publique qui déjà protestaient et demandaient plus de moyens pour les hôpitaux. J'ai vu que l'écrivain Mario Soldati était mort, j'avais oublié, Mario Soldati tout de même, cela aurait pu avoir un petit impact, mais il s'était éteint à quatre-vingt-douze ans de mort naturelle, rien de scandaleux, rien qui fait froid dans le dos, j'ai vu que Jacques Chirac venait de recueillir 58 % d'opinions favorables selon le dernier sondage IFOP, que le G7 réuni à Cologne avait décidé de réduire la dette des pays les plus pauvres, j'ai vu que des journalistes avaient été emprisonnés en Iran.

J'étais déçue, je voulais trouver une raison d'arrêter le cours des choses, à rebours, même après tout ce temps, redonner une chance à l'histoire de se dérouler autrement, il y avait bien dans tous ces événements, dans cette débauche d'informations plus ou moins essentielles celle censée stopper Claude dans son élan. Je suis tombée, en feuilletant un numéro du *Nouvel Obs* vieux de vingt ans, sur une page qui parlait de la mort prématurée d'Élie Kakou le 19 juin 1999. Élie Kakou, ça me rappelait quelque chose, et je voulais m'approcher de cette mort-là, trente-neuf ans c'était presque le même âge que Claude, mais là c'était le sida, je ne m'en souvenais pas. Élie Kakou, ça me revenait, c'était Madame Sarfati, le fameux sketch, celui qu'on avait regardé avec sa famille lors de vacances dans le Sud, et qui faisait rire tout le monde parce qu'il disait que « là-bas » ils avaient tout laissé, des pieds-noirs, comme Claude et ses parents, et qu'ils étaient revenus « une main devant, une main derrière », cette expression qu'employait sa mère avec l'accent et ce sens de la dérision qui la caractérisait. Tout me ramenait à Claude, même si la mort d'Élie Kakou n'avait servi à rien. J'arrêtais tout pour regarder les sketchs d'Élie Kakou sur mon ordinateur, j'étais vissée à mon bureau, la petite pièce du fond qui était devenue mon bureau, et je souriais en le voyant jouer la scène du kibboutz, je cliquais et je riais, sacré Élie Kakou, il avait dû bien en baver. J'allais de vidéo en vidéo, c'était plus facile que d'écrire, mais c'était vain, la mort d'Élie Kakou n'avait pas su éviter celle de Claude. Au moins je souriais en pensant à Claude, je passais un long moment sur YouTube, j'avais dérivé assez loin, et je me rendais compte comme j'étais traversée par l'amour vingt ans après.

Je ne renonçais pas, je traquais l'événement, ce n'était pas possible qu'aucun fait divers, aucun scandale, aucune tragédie ne soit venu influencer Claude ce jour-là, que l'aile du papillon n'ait pas fini par l'effleurer. L'annonce de la fermeture de la centrale de Tchernobyl n'y changerait rien, la semaine euphorique à la Bourse de Paris, non plus, la mise en examen de Claude Evin pour homicide involontaire dans l'affaire du sang contaminé, pas davantage.

Je m'énervais, j'aurais voulu faire cracher à l'actualité ce coup de théâtre qui, de fil en aiguille, serait arrivé jusqu'à la conscience de Claude et l'aurait empêché de marcher jusqu'à la maison des Mercier.
J'étais sûre que cette info existait, je tentais de me souvenir. Après la pause Élie Kakou, je feuilletais des

agendas, je passais en revue des archives de journaux, ces numéros du *Monde* datés 1999 (dans lesquels Claude avait parfois écrit) que j'avais
déménagés, que j'avais gardés dans une boîte à
portée de main, me disant qu'un jour j'y trouverais
peut-être comme une trace des dernières journées
que Claude avait vécues, j'y trouverais comme une
humeur de l'époque, une atmosphère qui me relierait à lui et que je ne voudrais surtout pas oublier.
J'avais gardé aussi des exemplaires de *Libération*, la
collection entière des *Inrockuptibles*, de *Rock &*
Folk et du *New Musical Express*, de toute cette
presse à laquelle il s'abreuvait.

Ce jour-là comme le plus souvent, je n'écrivais
pas, je feuilletais des journaux, je regardais des
vidéos, j'errais, tentée de tout arrêter encore une
fois. Ma quête me semblait insensée, finalement ça
servait à quoi ?

Et puis, je découvris un article qui relatait l'accident dont avait été victime Stephen King trois
jours avant celui de Claude, c'est-à-dire le samedi
19 juin 1999 vers seize heures trente, alors qu'il
effectuait sa promenade quotidienne dans la campagne du Maine où il vivait. Je me souviens que
ça nous avait secoués, j'avais complètement oublié,

135

Stephen King avait été percuté par un mini-van, projeté dans le fossé et en était ressorti salement amoché, inconscient, avec de multiples fractures, des côtes cassées, un poumon perforé.

Claude était un lecteur de King mais surtout un dingue de *Shining*, auquel il avait fait allusion quand nous avions acheté la maison, relativement isolée, et dont la musique du film (signée Wendy Carlos) l'avait marqué au point d'en faire un objet d'étude pour ses étudiants (il était parfois chargé de cours ici ou là).

Quand nous avions appris pour l'accident de Stephen King, nous nous étions demandé quels étaient les titres que nous avions dans notre bibliothèque, mais les livres étaient déjà emballés, et même déjà transportés à notre nouvelle adresse.

La voilà l'info qui aurait pu dissuader Claude de se mettre en danger, si elle avait été plus grave. Stephen King grièvement blessé ça ne suffisait pas, il aurait fallu qu'il soit mort.

Il avait été évacué par hélicoptère et les journalistes du monde entier s'étaient pressés aux portes de l'hôpital où les chirurgiens avaient hésité à l'amputer d'une jambe. Il était passé à deux doigts, bien secoué, mais il était vivant. Alors ça fait toute la différence, ça nous rappelle que la mort est tapie quelque part, mais ça provoque ce grand frisson au contraire, qui électrise les ardeurs plus qu'il ne les calme. Ce que j'apprendrai plus tard, puisque moi seule continuerai d'apprendre, c'est que Stephen King se verrait prescrire ces fameux comprimés contre la douleur qui le feraient replonger dans ses addictions, et qu'il développerait une relation féti-chiste au chiffre 19, puisque c'était arrivé le 19 juin, comme je vouerai désormais un culte inquiet au 22.

Stephen King s'en était tiré, il avait frôlé la cata-strophe qui aurait sans doute poussé Claude à réfléchir à deux fois, j'en ai voulu à Stephen King, je crois, de s'en être sorti, et de n'avoir jamais rien fait pour moi.

19. Si ce mardi matin avait été pluvieux

Ne m'avait pas effleurée l'idée que ce mardi matin aurait pu être pluvieux. Il suffit parfois d'un élément très simple pour que l'existence prenne une autre direction. Aussi simple et trivial que la météo. C'en est déconcertant. Je n'y avais, à vrai dire, jamais pensé. Tant on tient pour acquis que juin est éclatant de douceur et de lumière, surtout à Lyon où la température peut monter vertigineusement autour du solstice d'été. Avec des orages qui menacent en toute fin de journée, les organisateurs des Nuits de Fourvière peuvent en témoigner. Je me souviens d'un concert de Tindersticks si arrosé que Stuart Staples, le chanteur, devait être heureux d'avoir prévu cette grosse veste de tweed dont il se défait rarement sur scène et qui lui donne cette allure *so british*. Il faisait si frais d'un coup, et la pluie était si drue que j'avais acheté une cape transparente au marchand ambulant qui arpentait l'amphithéâtre, que j'ai toujours au fond de mon sac quand je pars en randonnée. C'est ma cape Tindersticks, Claude aurait adoré.

Je n'avais pas pensé que le 22 juin 1999 aurait pu être une journée arrosée, frisquette et carrément dégueulasse. Et pour une fois la pluie aurait eu dans ma vie un apport bénéfique, la pluie nous aurait bénis, elle m'aurait surprise à la descente du train, à mon retour de Paris, elle aurait fait friser mes cheveux et aurait précipité mon pas jusqu'à l'Abribus où j'aurais attrapé le dernier 38 pour rentrer à l'appartement. Je serais arrivée trempée, d'assez mauvaise humeur, mais j'aurais mis les pieds sous la table et Claude aurait réchauffé le plat qu'il avait préparé, peut-être ce chili con carne qui était l'un de ses classiques, même s'il est peu probable qu'en plein déménagement il aurait pris le temps de cuisiner.

S'il avait plu ce mardi matin, qu'aurait décidé Claude ?

On peut parier qu'il n'aurait pas fait l'effort de remonter jusqu'à la maison des Mercier pour détacher la Honda du poteau, on peut imaginer sans

difficulté qu'après avoir accompagné son fils à l'école, il aurait regardé le ciel en tordant le nez et en s'abritant sous un parapluie, tourné vers le sud et vers l'ouest, puisque c'est ainsi qu'on surveille le temps quand on habite Lyon, on scrute l'horizon du côté de la vallée du Rhône et de la raffinerie de Feyzin, à la recherche de ce rai de lumière qui surgira dans le lointain et portera l'espoir de l'éclaircie. L'éclaircie, ce mot qui me fait penser à la chanson du groupe Marc Seberg, et du chanteur Philippe Pascal (lui aussi un enfant de la guerre d'Algérie, qui vient de mettre fin à ses jours), que Claude fredonnait souvent.

Mais c'était avant, c'était avant la fin du siècle, quand la météo ne se consultait pas sur nos téléphones mobiles, c'était quand nous interrogions le ciel et les points cardinaux, tentant des équations aléatoires qui combinaient la direction du vent, la forme des nuages, et que nous proférions autant de prières.

Claude aurait levé la tête vers le ciel, comme il le faisait chaque matin en ouvrant la fenêtre de la chambre et qu'il tendait la main au-dehors, en un geste ridicule qui nous faisait rire l'un et l'autre, comme si c'était par la main que se jugeait la température de l'air et la fiabilité de la prévision.

Chaque matin, il sondait l'atmosphère avec appré-
hension, comme si sa vie en dépendait, parce que
chevaucher une moto par temps humide, ce n'était
pas comme rouler à la cool sur les corniches algé-
riennes. C'était une façon de me rappeler qu'il
n'était pas vraiment d'ici, que sa présence au-dessus
du 45e parallèle était une erreur, et il avait raison,
si le vent de l'histoire ne l'avait pas emporté sur la
rive nord de la Méditerranée, il n'aurait jamais eu
à se préoccuper de ce qu'on nomme météo dans
les pays tempérés. Il aurait fait sa vie en bras de
chemise dans le souffle de l'air éternellement tiède,
il aurait marché pieds nus et roulé sans casque. Au
lieu de porter des bottes et de frissonner de
novembre à mai.

S'il avait plu ce matin-là, Claude aurait traversé
la rue qui conduit aux garages, il se serait arrêté
pour réfléchir, il aurait soupiré, aurait rentré le cou
dans les épaules, il aurait gratté distraitement sa
barbe de trois jours. Il aurait sans doute détaché sa
Suzuki Savage, après avoir hésité à aller prendre
l'autobus qui passe à cent mètres, il n'aurait pu se
résigner à attendre cet autobus qui pourtant
l'aurait conduit directement jusqu'au bureau sans

141

même un changement, et quand j'y songe aujour-
d'hui, cela me paraît d'une exagération telle que
j'en suis comme attendrie. Prendre l'autobus était
la pire des frustrations. Affaire de tempo, de protocole, c'était un cérémonial qui ne lui convenait pas.
Les horaires, les tickets, faire partie du flot sans
pouvoir agir, c'était un peu sa terreur, et cette position verticale, debout à tenir une barre, avec ce
grand corps dont je crois pouvoir dire qu'il
l'encombrait. L'autobus, ce n'était pas pour lui. La
moto était la ligne de fuite idéale, parfaitement
adaptée à la vie urbaine qu'il chérissait, lui procu-
rant ce sentiment d'indépendance qui le rassurait.
Marcher n'était pas son fort, ni en ville ni en mon-
tagne. Avec le deux-roues il avait trouvé son centre
de gravité, son point d'équilibre.

Il avait commencé à chevaucher des vélos dès
son plus jeune âge, et je repense à cette photo où
il fait du tricycle sur la terrasse algéroise. À son
arrivée en France, ses parents lui avaient offert un
vélo d'enfant, puis il s'était payé un vélocross
d'occasion à l'adolescence, avec lequel il faisait des
figures compliquées au pied des tours de son quartier, dévalait des pentes et prenait bientôt des
risques y compris sur la chaussée, d'après ce que
m'avait raconté son copain Alain, qui habitait dans

le même immeuble à Rillieux-la-Pape, partageait ses soirées et ses disques. Après quoi Claude avait passé le permis moto et ce fut le début d'une autre histoire.

S'il avait plu ce 22 juin au matin, Claude aurait renoncé à remonter la pente, sur laquelle l'eau aurait ruisselé. Il n'aurait pas mouillé inconsidérément ses chaussures (il aimait tant les chaussures, je me rends compte que l'hôpital ne me les a pas rendues), il n'aurait pas marché dans les rigoles jusqu'à atteindre la maison des Mercier. Il aurait su qu'il ne servait à rien de faire démarrer la 900 Honda sur laquelle il aurait risqué de déraper, de cela je suis certaine, il n'aurait pas voulu gâcher ce plaisir qu'il se réservait, il n'aurait pu circuler dans ce climat hostile avec toutes ces gouttes qui se seraient aimantées en fines rigoles sur la visière du casque et l'auraient aveuglé, le jeu n'en valait pas la chandelle.

Non, il aurait fait les gestes qu'il accomplissait chaque jour, il aurait ouvert la porte du garage, se serait faufilé jusqu'à sa moto, il aurait sorti sa combinaison de pluie de l'une des sacoches de cuir accrochées à l'arrière de la Suzuki, il l'aurait enfilée à contrecœur, parce que c'est ainsi qu'on enfile les combinaisons de pluie et les surbottes, avec dépit pour ne pas dire avec tristesse, il aurait remonté la fermeture Éclair jusqu'en haut, il aurait eu conscience que ce trajet jusqu'au travail ne lui procurerait aucune émotion, tout l'inverse de ce qu'on attend d'une matinée de juin à chevaucher un deux-roues, ni ivresse ni paix, ni disponibilité à l'imprévu, non il aurait eu du mal à bouger dans cette tenue plastifiée qu'il n'aimait pas, achetée au marché d'occasion de la moto qui se tient chaque premier dimanche du mois à Neuville-sur-Saône et où il arrivait que nous nous rendions quand nous étions à la recherche d'un accessoire ou d'une pièce trop chers en magasin, et pour le plaisir de chiner entre les stands et de faire partie, l'espace d'une heure ou deux, d'une communauté que nous ne fréquentions qu'à très faible dose.

Claude aurait enclenché la première, aurait rejoint la chaussée dans des gerbes d'eau et aurait roulé comme en berne jusqu'à la discothèque, où il serait arrivé un peu piteux. Cela aurait été un jour où il n'aurait pas fait d'envieux parmi ses collègues, où aucune fille ne se serait retournée sur son passage, où l'empreinte même du rock'n'roll aurait quitté sa silhouette. Il aurait attaché sa moto sur l'emplacement réservé du parking, puis il aurait avancé dans sa combinaison dégoulinante, il aurait demandé au gardien à la loge s'il pouvait la laisser sécher quelque part dans un couloir, ils auraient eu cette conversation de connivence à propos de la météo, ils auraient dit que pourtant c'était le deuxième jour de l'été, qu'heureusement que ce n'était pas tombé la veille pour la Fête de la musique, ils auraient parié que ça n'allait pas durer, et en effet cela n'aurait pas duré, deux heures plus tard, la pression atmosphérique se serait allégée et la pluie se serait calmée en même temps qu'un peu de vent serait venu du nord, léger mais parfait, juste ce qu'il fallait pour dissiper la nuée, et la lumière aurait surgi, vive et éclatante, et les martinets auraient repris leurs tournoiements sans fin entre les immeubles et leurs cris se seraient réverbérés contre les façades et seraient entrés par les baies vitrées du bureau que Claude aurait fini par ouvrir pour accueillir l'été.

Mais ce mardi 22 juin, il faisait beau, on pourrait dire normalement beau pour la saison. Et Claude était monté jusqu'à la maison des Mercier.

20. Si Claude avait écouté *Don't Panic* de Coldplay, et non pas *Dirge* de Death in Vegas, avant de quitter le bureau

Claude était arrivé au travail sur l'énorme Honda noir et or, et le gardien à la loge de l'énorme paquebot qu'est la bibliothèque municipale de Lyon avait sifflé d'admiration, un peu baba. *Tu es prêt pour les 24 heures du Mans ?* avait-il plaisanté en mélangeant un peu tout.

Après un début de parcours professionnel qui avait mal commencé – puisqu'il avait trouvé du travail au service compensation de la Banque de France, poussé par la nécessité de s'assumer financièrement au retour du service militaire –, après des débuts à côté de la plaque comme il le disait en se moquant de lui-même, Claude avait appris qu'un poste se créait à la discothèque, un endroit qu'il fréquentait comme usager (ce mot qui le faisait blêmir) et dans lequel il m'emmenait souvent le samedi.

Il faut se souvenir de cette période d'avant Internet où les seuls supports d'écoute étaient le CD et le disque vinyle, et la façon de le dupliquer, la cassette. On n'écoutait pas ce qu'on voulait quand on voulait. On devait attendre que Bernard Lenoir distille ses morceaux à la radio, que les critiques rock Arnaud Viviant, JD Beauvallet, Bayon ou Michka Assayas nous prennent par la main, on achetait beaucoup, dans ces boutiques de la rue Mercière ou sur les pentes de la Croix-Rousse où nous passions une grande partie de notre temps et de notre argent. On commandait des *imports* hors de prix qui mettaient parfois des semaines à arriver des US ou du Royaume-Uni, qu'on guettait comme des enfants. Et on fréquentait la discothèque municipale où nous pouvions emprunter trois disques par semaine.

Le bonheur tenait à ce choix restreint qui nous était offert et à la peur de nous tromper. À ces découvertes que nous faisions par hasard parce que les disques escomptés étaient déjà empruntés. Le bonheur tenait à ce désir qu'on éprouvait et que l'attente aiguisait. Le bonheur, c'était le peu, c'était le rare.

Pour accéder à ce poste qu'il voulait absolument, Claude s'était mis à étudier l'histoire de la musique, classique et populaire, parce qu'il fallait préparer ce concours de la fonction publique qui lui permettrait de laisser tomber la banque pour s'immerger corps et âme dans le milieu musical. Il avait miraculeusement décroché le poste puis, au fil du temps, avait pris la direction du service sans se défaire de ses Chelsea et de son Perfecto (ce qui était impensable à la banque où sa cheffe l'avait prié de choisir le costume au profit des baskets).

À la disco, comme il disait, il décidait des acquisitions, il passait son temps à constituer un catalogue, faire des écoutes, puis à transformer un fonds vinyles en fonds CD, à se poser la question de l'opportunité de créer un secteur rap (en plein essor) et un rayon électro, puis à se demander dans quelle catégorie entrait tel ou tel album, si c'était de la house ou de la jungle, à réorganiser les classements, puis à les supprimer, décrétant que c'était has been. Il fallait aussi planifier des réunions d'équipe, ne pas faire l'impasse sur la gestion du personnel qui n'était pas son fort, et assumer cette hiérarchie qui faisait de lui le directeur. Claude s'absentait parfois pour assurer des formations sur les différents courants du rock, à Bordeaux, Arles ou Nantes. Il écoutait des albums le soir à la maison, il prenait des notes, il me faisait découvrir ce qu'il aimait. C'était l'une de ses raisons de vivre, découvrir, dénicher, écouter, écouter encore, et transmettre.

M'est resté en mémoire ce moment inoubliable entre tous, où il est arrivé avec le premier album de Dominique A, *La Fossette*, et où il m'a sommée de ne pas bouger, c'est-à-dire m'asseoir sur le petit canapé de la cuisine, à écouter sans rien faire d'autre (je me souviens de l'injonction). Et de nos épaules qui se touchaient, de nos regards qui se cherchaient quand nous avons entendu les premières notes du *Courage des oiseaux*, cette chanson qui demeurera notre hymne entre tous, notre signe de ralliement, notre code secret, comme elle est devenue le symbole de toute une génération. M'est restée en mémoire la soirée qui a suivi, après dîner, après que nous avions couché notre fils qui n'avait alors pas dix-huit mois, à écouter en boucle l'album de Dominique A, stupéfaits et furieusement excités.

C'était un mardi. Il était bientôt seize heures à la pendule de la discothèque. Il y avait encore quelques CD qui attendaient sur le bureau avant de trouver place sur le lecteur pour une dernière écoute. Alain Bashung, Daft Punk, Coldplay, Death in Vegas, Placebo, Radiohead, Massive Attack. Claude gardait un œil sur la pendule. Il lui fallait choisir le dernier morceau, celui qui ne serait pas trop long, avant de quitter les lieux, de s'éclipser discrètement, en faisant un signe aux collègues qu'il avait dans son champ de vision. Un dernier pour la route, l'expression n'a jamais semblé aussi juste. Celui qui lui permettrait de franchir la porte de la discothèque au bon moment, s'il voulait ne pas arriver en retard à l'école où son fils l'attendait (où son fils ne l'attendait pas).

C'était un expert de cette routine que chacun pratique, le dernier mail, le dernier coup de fil, le dernier client, tout ce qu'on évalue en fonction du temps requis par l'opération. Tout en sachant que la manœuvre débouche inexorablement sur un retard. Transforme une avance en retard, puisqu'il est acquis que le temps professionnel – surtout depuis l'apparition du courriel, encore marginal en 1999 – déborde comme un fleuve en crue, ne souffre aucune pause, aucune minute mal employée, surtout au moment de clôturer la journée, où il y a toujours une urgence à régler, une prouesse à accomplir, un rendez-vous à caler. Il y a toujours un téléphone qui sonne.

En d'autres termes, on n'a jamais vu quelqu'un partir à l'avance. Cela n'existe pas. Même dans certains services de la fonction publique.

Le plus court morceau était *Don't Panic*, de Coldplay, 3'27, qui venait de paraître, et figurait dans le carton tout juste livré par le disquaire de la rue Mercière. Mais Claude avait envie de découvrir *Dirge*, de Death in Vegas (dont il n'a jamais su qu'il serait repris pour la cultissime pub Levi's quelques mois plus tard), qui dure 5'44. C'était un dilemme de deux minutes qu'il avait dans la tête. Autant dire rien, autant rire franchement devant une telle mesquinerie. Et puis deux minutes, qu'est-ce que c'était à l'échelle d'une vie, et même d'une journée ? Deux minutes, il suffirait de shunter le morceau, ou de rouler un peu plus vite sur le chemin du retour, et encore, en ville, avec les feux, il ne sert à rien de courir, Claude le savait, lui qui avait longtemps circulé à vélo (son vélo que j'ai toujours dans la cour), et avait constaté que moto ou vélo, il mettait le même temps, à part la côte au retour, qu'il fallait *se fader*, un verbe qu'il chérissait, résidu de ce langage populaire qu'on employait dans sa famille ballottée de ville en ville depuis le rapatriement d'Algérie.

Mais là, il serait de retour en moins de quinze minutes sur la Honda 900, et même s'il débarquait après que la cloche de l'école avait sonné, cela ne serait pas un drame. Cela arrivait à tous les parents de figurer parmi les derniers (comme je l'ai déjà précisé), en tout cas ceux qui travaillaient, on savait qu'un autre parent veillerait, un enfant ne resterait jamais seul sur le trottoir. On était malgré tout inquiet et aussi un peu gêné, on se renverrait la politesse la fois d'après. Je viens goûter chez toi, tu viens jouer chez moi.

Claude optait donc pour l'écoute de *Dirge*, même si je dois avouer que je n'en suis pas sûre (je me fie à ce que m'a confié Eric, qui travaillait à quelques mètres et qui avait vu Claude remettre l'album dans son boîtier), je ne fais qu'émettre des hypothèses pour calmer cette béance qui me gagne quand je tente d'imaginer cette dernière journée. *Dirge* était l'option choisie pour se mettre légèrement en retard, et donc créer la petite montée d'adrénaline qui donne tout son sel à l'existence.

Normal, le temps de l'homme serait celui du retard. J'ai envie d'écrire, retard à l'allumage.

J'ai écouté *Dirge* en boucle pendant des mois, parce que mon dévolu (et peut-être davantage) s'est porté sur ce morceau. Et sur ce groupe britannique fondé par Richard Fearless. Je connais chaque seconde de ce chant lancinant qui commence avec des guitares et une voix féminine, puis absorbe doucement la rythmique, se déploie avec l'entrée d'un synthé distordu, monte d'un cran quand une guitare un peu sale fait son apparition, soutenue par une batterie qui passe presque au premier plan. J'ai éprouvé chacune des nappes qui viennent augmenter, intensifier, donner corps à ces quelques notes répétitives (*fa, mi, ré, fa, do, ré*) qui revêtent une intensité impossible à interrompre. Je mets quiconque au défi de shunter *Dirge* avant la fin, c'est ce que je me suis toujours dit, ce serait comme suspendre une montée sexuelle, rallumer la lumière au moment du plaisir qui vient. On est partie prenante de la saturation, du tremblé, les notes sont tenues, retenues, grimpent par paliers, emmènent de plus en plus loin, en toute quiétude addictive, le flot se veut psychédélique et punk à la fois, dans

153

l'épaisseur d'une ouate où l'on s'immerge avec l'espoir de ne pas en sortir. C'est si bon.

Et c'est bien le problème.
Vas-y ! Coupe le son ! Ne te laisse pas séduire.
Prends tes affaires et tire-toi.

Je me demande ce que Claude en aurait écrit, s'il avait dû en rendre compte pour le journal, comment aurait-il saisi ce morceau de 5'44, sans autres paroles que *la la la, la la la*. Il avouait fréquemment qu'il était impossible d'écrire sur la musique, il n'en revenait pas de lire les papiers tellement inspirés de Greil Marcus ou de Lester Bangs, ces légendes de la critique anglo-saxonnes qui ont su donner au rock leurs lettres de noblesse. Admettons que je viens de tenter ces quelques lignes pour le surprendre, une dernière fois. J'aimerais que ça le fasse au moins sourire. Ce sérieux laborieux que j'y mets, et cette conviction démonstrative.

Claude écrivait bien, il avait ce talent qui me séduisait. Il me proposait parfois de relire ses articles, quand il n'était pas sûr que tout soit bien clair, quand il doutait de l'opportunité d'une métaphore un peu salée. Il tapait sur une machine à traitement de texte Canon S-50, le soir dans l'appartement, je crois qu'il imprimait et qu'il emportait le papier avec lui au journal. Des disquettes ont traîné longtemps au fond des cartons avant que j'ose les ouvrir, j'imagine que c'était après, quand Claude a acheté son premier ordinateur. Je finis par tout mélanger.

Il était 15 h 55 quand Claude s'était enfin glissé vers la sortie. Il n'avait pas pris le temps de saluer les collègues, qui savaient sa légendaire façon d'être en retard et ne lui en voulaient pas de partir avant eux deux jours par semaine. Il avait enfilé son blouson en même temps qu'il ouvrait la porte. Je l'imagine tenant tout à la fois son sac à dos, ses clés, son casque et ses gants, tentant de maintenir l'ensemble contre lui et d'avoir un doigt de libre pour appuyer sur le bouton de l'ascenseur qui le conduirait au rez-de-chaussée. Il espérait que l'ascenseur ne mettrait pas plusieurs minutes à arriver, comme c'était trop souvent le cas, il ne faudrait pas qu'il soit bloqué dans les étages supérieurs, au fonds ancien par exemple où travaillait Guy avec qui il avait déjeuné à midi, et qui me raconterait

les détails de son dernier repas, et d'autres choses
que j'ignorais.

Claude avait gagné le rez-de-chaussée et saluait
à présent le gardien, qui avait possiblement veillé
sur la Honda, je ne suis pas allée enquêter jusque-
là, et qui assistait, épaté ou dubitatif, je n'en ai pas
la moindre idée, à la façon dont Claude démarrait
ce monstre de moto, actionnant le bouton électrique après avoir enfilé le casque et fixé le sac à dos
neuf derrière ses épaules, dans lequel je retrouverai,
après qu'on m'aura rendu ses affaires, le gros antivol d'acier ainsi que des CD de Coldplay et Massive Attack, deux bandes dessinées de *Quick et
Flupke* empruntées pour son fils et un numéro des
Inrockuptibles daté de juin 1999 avec, en couver-
ture, *Another Day in Paradise*, le film de Larry
Clark, qui sortait sur les écrans. Il a fait rugir le
moteur en tournant la poignée des gaz, mais res-
tant encore à l'arrêt, montrant au gardien derrière
la vitre, ou plutôt sur le pas de la porte dans l'air
tiède de juin, qu'il en avait sous le carénage, et qu'il
pouvait aussi parler ce langage, en plus du registre
musical, il pouvait être autre chose qu'un intellec-
tuel travaillant dans une bibliothèque, il pouvait
établir une connivence avec l'homme de la loge qui

n'écoutait probablement pas la même musique que lui, ni ne lisait les mêmes livres, mais passait ses journées devant une petite télévision vissée en hauteur qu'il matait en levant la tête, ce qui devait lui comprimer les vertèbres et lui provoquer quelques douleurs chroniques. Claude avait fait ronfler encore deux ou trois coups, pendant qu'il tentait de manœuvrer la bécane de 183 kilos et de la mettre dans le sens du départ. Il avait vérifié qu'il n'oubliait rien. Il avait fait un signe de tête à l'intention du gardien, qui lui avait répondu en levant le pouce. À demain. *Ciao amigo* à demain.

Il était seize heures tout juste. Presque en avance finalement.

21. Si Claude n'avait pas oublié ses 300 francs dans le distributeur de la Société générale

Mais pas tant en avance que ça, puisque Claude devait faire une halte tout à fait inhabituelle, et se détourner légèrement de son trajet. Guy m'a raconté cette anecdote, livrée quelques semaines après l'accident, que je n'ai su comment interpréter. Claude avait retiré de l'argent avant d'aller déjeuner avec Guy au Tout va bien, restaurant qui faisait l'angle avec le cours Lafayette, qui a fermé depuis, et avait oublié les 300 francs dans le distributeur de la Société générale. Il s'en était rendu compte au moment de payer le plat du jour et le café, avait pris Guy à témoin, qui se marrait doucement parce qu'il était entendu que Claude cumulait les oublis et les objets perdus, comme les clés du service, c'était le running gag, celui des clés, qui ouvrent la salle de prêt, et à cause duquel le public s'entassait parfois dans le hall en attendant que les portes veuillent bien finir par se déverrouiller.

Claude avait finalement payé avec sa carte bleue, puisqu'en fin de mois il avait utilisé tous ses chèques-restaurant, après avoir vérifié dans les poches de son blouson, qu'il ne quittait pas, même en plein été, parce que justement, il transportait dans ses poches tout ce qu'il avait de précieux, portefeuille, argent liquide, ses différents trousseaux de clés, ses lunettes de soleil, et tout ce que j'ignore. Il se défaisait rarement de son Perfecto pour une autre raison, qu'il m'avait avouée un jour que je lui en avais fait la remarque, en plaisantant à moitié. Comme il n'était pas très épais, il se sentait vulnérable et sans doute aussi hors de ces canons qui voudraient que les hommes présentent un buste large et musclé. Et c'était ce que j'aimais, cette stature effilée, ce profil coupant, cette beauté anguleuse.

Il voulait repasser à la banque en sortant du Tout va bien, mais c'était trop juste, il y ferait un saut en fin d'après-midi, sur le chemin du retour.

Il était seize heures et il fallait encore que Claude fasse ce crochet avant d'aller chercher son fils à l'école. Cela lui prendrait quelques minutes, la

Société générale était dans une rue perpendiculaire, en sens interdit certes, mais à moins de trois cents mètres. Je viens de vérifier.

Il s'était garé entre deux voitures, avait pris soin d'enlever son casque avant de se présenter au guichet, pour ne pas effrayer l'employé qui devait actionner l'ouverture automatique du sas après qu'il avait sonné. Un jeune homme en chemise à manches courtes l'avait reçu – celui-là même que Claude avait été quand il avait vingt ans et à qui il repensa sans doute avec effroi. Le jeune homme l'avait regardé avec un sourire d'autant plus gêné que Claude ne plaisantait pas, de parfaite bonne foi, candide et confiant, il espérait que le distributeur aurait ravalé les billets avant que quelqu'un s'en empare et que la banque lui rendrait ses sous sur simple réclamation. Il lui fallait remplir un formulaire qui allait l'obliger à rester de longues minutes planté devant l'hygiaphone, retrouver son numéro de compte, son code banque, son code guichet, chercher son chéquier dans ses poches pour consulter ces chiffres qu'il ne connaissait pas par cœur, les reproduire avec un stylo qui ne marchait pas, recommencer parce qu'il s'était trompé dans le nombre de zéros, puis attendre que l'employé revienne vers lui, désormais monopolisé par une conversation téléphonique. Il fallait que l'employé accepte de prendre son formulaire, d'y apposer un coup de tampon, d'en détacher un double qu'il lui remettrait, et d'enregistrer la demande. Ce qui prendrait plus de temps que prévu et suffirait à mettre Claude en retard, lui qui était jusqu'à présent dans le bon tempo, il avait fallu que cette histoire de formulaire le mette en retard, et fasse naître dans son abdomen cette légère crispation qui lui signifiait que là il lui fallait déguerpir sans tarder, qu'il n'avait plus aucune marge.

Je n'ai jamais su si Claude avait récupéré son argent, là en direct au guichet, en échange de ce papier qu'il venait de remplir, et qui attestait sur l'honneur qu'il n'avait pas touché aux 300 francs délivrés par le distributeur quelques heures plus tôt, puisque dans les objets qui m'ont été remis par le service des urgences de l'hôpital ne figurait aucun billet de banque. Et comme j'ignorais cet épisode au moment de la restitution, il ne me serait pas venu à l'esprit de réclamer, de même que je n'ai jamais osé m'enquérir de sa montre. Et même si j'avais su, je ne suis pas sûre que j'aurais trouvé l'énergie d'ouvrir la bouche pour contester ou émettre un doute, de cela je m'en souviens.

Je ne suis pas certaine que Claude se soit arrêté à la banque comme il avait dit à Guy qu'il le ferait, peut-être avait-il jugé qu'il était déjà trop tard. Je n'ai aucune preuve, et cela n'a aucune importance. Je n'ai jamais pensé à vérifier si les 300 francs avaient été débités de son compte, pourtant j'avais le code, je m'en souviens encore, 2599, j'aurais pu avoir l'information sur-le-champ. 2599. J'aurais pu vérifier sur le relevé de compte arrivé dans la boîte aux lettres les premiers jours de juillet.

22. Si le feu n'était pas passé au rouge

Claude est ressorti de la Société générale à la hâte, puis il a rejoint le flot de circulation qui débouche sur le boulevard des Brotteaux, qui lui-même conduit au boulevard des Belges, le long du parc de la Tête-d'Or, là où se succèdent hôtels particuliers et résidences de luxe, sans boulangerie alentour, sans aucun café à l'angle d'aucune rue. Il a roulé à une allure modérée, rien à voir avec l'essai qu'il avait réalisé le matin même sur le périphérique (je ne l'ai pas encore précisé, cela m'aurait fait perdre le fil, et puis je n'étais pas tout à fait prête à l'écrire), où il avait testé la vitesse, la tenue de route, le freinage, et ses propres capacités à avoir entre les mains un bolide aussi puissant pour la première fois de son existence. C'est ce que me confiera Guy après l'accident, que le matin, une fois que Claude avait récupéré la Honda dans la maison des Mercier, ou plutôt dans sa maison, il avait voulu voir ce que la 900 CBR avait dans le ventre, puisqu'il était monté à 200 à l'heure sur le périphérique, sur la portion sans radar jusqu'à Vaulx-en-Velin, il avait déboulé dans le rétroviseur des automobilistes comme une fusée sur la file de gauche (n'y avait-il donc aucun bouchon ce matin-là ?), il s'en était vanté en arrivant au travail, il s'était reconnecté avec sa fougue adolescente, il était allé titiller cette zone obscure lovée au fond de lui, où sommeillait sans doute ce qui ressemblait à une violence enfouie depuis cette enfance arrachée à l'Algérie en guerre, il avait peut-être voulu faire corps avec la phrase de Lou Reed, ce *vivre vite, mourir jeune*, encore que je n'en sais rien, avec un sourire en coin mi-ange mi-démon, un sourire à tomber par terre, je le vois ce rictus qui me rendait folle de lui. Et puis folle tout court.

Quand j'y repense, cette accélération sur le périphérique, c'était la moindre des choses, il n'allait tout de même pas emprunter la Honda pour simplement se rendre au boulot, se farcir les autobus qui vous démarrent sous le nez et les feux de circulation. Il n'allait pas se priver de pousser le moteur le plus loin possible, de l'entendre hurler, d'avoir entre les jambes ce réacteur quasi atomique qui vous propulse à la vitesse de l'éclair.

Mais là c'était fini, il rentrait chez lui après sa journée, s'inscrivant déjà dans une routine retrouvée, déjà occupé par ce qu'il ferait à son arrivée. Avec la satisfaction que procure chaque retour du travail. Être chez soi à nouveau, dans sa vie intime et privée, replié, protégé, sans aucun témoin de la régression programmée une fois la porte franchie. Le chocolat Côte d'Or qu'il mange debout devant le placard, les barres d'Ovomaltine qu'il achetait en paquet de quatre, le lait qu'il boit à la bouteille, accroupi devant le frigo, les chaussures qu'il troque pour des chaussons et qui soudain donnent au mec rock'n'roll une allure moins branchée. Le sac à dos qu'il ouvre et duquel il retire les albums qu'il va mettre sur la platine, ce livre qu'il a emprunté, *La Conjuration des imbéciles*, que lui avait conseillé Guy et que j'avais aussi retrouvé dans son sac à dos.

Là c'était fini, il rentrait du travail, et tout allait s'apaiser. Il allait ramener la moto et l'attacher pour de bon au poteau, définitivement. Je pense à cette chanson très énervée de Dominique A, *Le Travail*, sur l'album *La Mémoire neuve*, qu'il avait peut-être entendue dans la journée, et que j'ai vidée de son sens à force de le chercher. *Je revenais du travail, personne ne m'attendait.*

Les statistiques sont formelles, deux accidents graves sur trois ont lieu sur les trajets familiers entre le domicile et le lieu de travail, ces brefs trajets répétitifs dont on imagine qu'ils sont inoffensifs parce que parfaitement assimilés. Ce serait l'absence d'aventure qui tue, l'absence de risque objectif qui serait le plus gros risque. D'ailleurs, quand j'ai appris l'accident le soir à mon retour de Paris, je n'ai pas imaginé un instant que cela pouvait être grave, comme s'il était impossible que la routine permette une issue aussi dramatique. L'égoïsme et le trivial se sont aussitôt exprimés, je me suis dit que franchement, avoir un accident juste avant le déménagement, ce n'était pas malin, cela allait nous compliquer les choses. J'étais bien agacée.

Claude avait toujours possédé des motos, depuis sa première Yamaha 125, quand il avait dix-huit ans et vivait chez ses parents à la ZUP de Rillieux-la-Pape, au moment où je l'ai rencontré, et où il passait devant mon immeuble en penchant dans le virage à angle droit, en coupant puis remettant méchamment les gaz, sans doute pour attirer mon attention – savait-il que, alertée par le bruit du moteur, je me précipitais derrière la fenêtre de ma chambre, ce que je ne lui ai jamais dit –, puis une Kawasaki 650 des plus racées qu'il s'était fait voler en plein jour devant l'Opéra de Lyon, dans la petite rue où nous louions ce premier appartement dont nous avions été chassés, juste avant la Yamaha 500 XT, *le gros mono* qu'il chérissait tant avec laquelle nous avions sillonné toutes les routes de la région, et eu un accident en montant à Villard-de-Lans le 10 mai 1981, et qui m'avait valu un traumatisme crânien avec perte de connaissance (je ne savais plus pour qui j'avais voté), et un bref séjour au CHU de Grenoble. Avait suivi une période à vélo avant qu'il achète sa première moto neuve, la fameuse Suzuki 650 Savage dont il aimait le charme et la conduite cool, que j'ai dû revendre pendant l'été 1999 à un jeune homme venu de Chambéry, à qui je ne voulais pas dire la raison pour laquelle je devais m'en séparer. Et puis il y a toutes les motos que j'oublie, qui ont fait l'objet de vols à répétition, de malentendus avec les assurances, et de conversations que j'attrapais ici ou là, qui me permettaient d'engranger ce vocabulaire spécialisé assez fascinant, et où Claude affirmait son style d'homme réfractaire à l'automobile, soucieux de ne pas encombrer, rétif à toute forme de soumission, et surtout aux embouteillages. Sans compter la résistance aux péages d'autoroutes, qu'il a toujours franchis sans s'acquitter du montant qu'il jugeait insultant.

Claude a roulé, normalement, pourrait-on dire, le long du boulevard, tout en se faufilant entre les véhicules, comme l'ont toujours fait les motards, que l'idée de rester à l'arrière insupporte, que l'idée de suivre une automobile a toujours rendus fous. Il s'est comporté comme une abeille impatiente, qui bourdonne sur l'aile gauche, qui slalome doucement, qui s'octroie quelques passe-droits contestables, qui colle aux basques puis disparaît. Il s'est amusé, c'est ce que j'imagine, et sans doute ce que j'espère, il a mis à contribution la souplesse des reprises, le répondant du carburateur conçu par Tadao Baba, il a rongé son frein, retenant les chevaux, se contentant de bricoler entre les voitures, qui au milieu de l'après-midi ne s'agglomèrent pas encore en files mais avancent sans encombre sur les deux voies de la chaussée limitée alors à 60 kilomètres/heure.

Il roulait en butinant, en zézayant, c'est le pauvre verbe qui me vient à l'esprit, en étant à côté de la juste sonorité du moteur, puisque tout l'empêchait de céder à une conduite plus sportive, il jouait peu de sa main droite sur la poignée d'accélérateur, mais après tout je l'ignore, peut-être qu'il a traversé l'arrondissement comme une étoile filante, en faisant fi de la circulation, en une longue ligne droite légèrement déportée sur la gauche, mordant un peu la bande blanche qui n'était qu'un symbole inoffensif, dépassant le 38, l'autobus que je prenais – et que je prends toujours – quand je rentrais de la gare après mes aventures parisiennes, et qui se traînait avant de me poser au milieu de la montée de la Boucle, de l'autre côté du Rhône, où nous vivions.

Le Rhône marque la frontière entre le 6e arrondissement et le quartier de la Croix-Rousse, où se trouvaient l'école et l'appartement que nous étions en train de quitter, un fleuve large et lumineux à cet endroit encore en amont de la ville, juste après les chutes de Saint-Clair où il cascade en une écume plus ou moins fournie selon la période de l'année, mais toujours de ce bleu presque blanc qui rappelle qu'il prend sa source dans les glaciers. Le

Rhône et ses rives investies dès le mois de juin, bien que la baignade soit interdite et plus encore la pêche et la consommation de poissons, intoxiqués au PCB. Je me souviens que nous en parlions à table, cette pollution des eaux du Rhône, qui charriait un inquiétant cocktail de nitrates, métaux lourds et autres pesticides, que nous résumions par cette dénomination nouvelle, le PCB, ou pyralène, qui faisait alors la une du *Progrès*.

Je repousse le moment de stopper le parcours de Claude et de faire passer le feu au rouge, celui devant le musée Guimet, qui sera déterminant pour la suite. Je parle pour l'instant de PCB et des petites plages improvisées, peuplées par des jeunes gens qui évoluent entre les herbes et cherchent les rayons de soleil déjà chauds face aux reflets du fleuve, par les couples illégitimes, les garçons qui se rencontrent, par les étudiants qui s'isolent derrière les arbres pour rouler des joints et poursuivre la soirée autour d'un feu, plaquant des accords de guitare et jouant du djembé, dont les vibrations se répercutent jusque sur la colline de la Croix-Rousse.

J'hésite à faire passer ce feu au rouge, parce que s'il était resté vert une seconde de plus, Claude aurait poursuivi sa route sans obstacle, et sans doute aussi son existence, et nous n'aurions rien su de cette journée, qui aurait été comme les autres, ni remarquable ni mémorable, sans qu'elle suscite aucune question ni aucun récit, une journée qui épouse les vibrations de l'été, dans lequel on pénètre bras nus, livré au vent déjà tiède de ce milieu d'après-midi soyeux, juste avant la fin des classes, la grande libération, juste avant le déménagement, juste avant cette nouvelle vie dont on savait qu'elle allait enfin se déployer. C'était ma vision des choses, peut-être étais-je la seule à l'imaginer ainsi. Je voyais cette arrivée dans la maison comme le point de départ vers des horizons plus vastes et prometteurs. Comme s'il nous avait fallu attendre tout ce temps, et trouver le lieu propice pour que notre vie d'adulte prenne enfin une dimension à notre mesure. Lui à quarante et un ans, moi à trente-six. On n'était pas des rapides, enfin pas toujours.

Je ne sais comment fonctionnent les feux de circulation, depuis leur première apparition sous forme de lanterne à gaz pivotante, dans un quartier de Londres en 1868 où il a fallu pouvoir stopper les trains qui traversaient au coin de Bridge Street, actionnés par un agent de police en faction, mais on peut imaginer que des ingénieurs les règlent de nos jours en fonction d'études sur le flux, pour qu'une rue absorbe le trafic de la façon la plus fluide possible. J'aime, quand je suis au volant, adapter ma vitesse de manière à enchaîner une série de feux verts sur les avenues, et retenir mon accélération pour souscrire au plaisir de voir se dérouler devant moi le tapis rouge (si je puis dire) des feux passant successivement au vert et favoriser une totale harmonie entre l'humain que je suis et la machine logée dans les boîtiers électroniques. Il ne sert à rien d'aller trop vite, il suffit juste d'attendre que la route s'ouvre devant soi, c'est un plaisir mystérieux.

Cette histoire de feux m'a longtemps obsédée, puisque la tendance des ronds-points a depuis pris le pas, à la campagne plus qu'en ville, certes, comme s'il n'était plus possible de stopper les flux, les personnes, les fluides, la marche du temps, comme si l'homme moderne ne souffrait aucune interruption de ses pulsions, à l'image de la communication qui se déverse nuit et jour sur les robinets ouverts des réseaux. Le feu serait un animal réactionnaire qui obligerait à se casser le nez sur une porte close, un accès qui ne serait pas illimité.

Un peu comme une frontière fermée, une fin de non-recevoir. La libre circulation des échanges, des marchandises (c'est bien le problème), des devises, des idéologies a supplanté l'idée qu'un simple feu rouge peut tout arrêter. Mais je m'égare.

Aussi quand le feu devant le musée Guimet a viré à l'orange, alors que Claude était à cent mètres et que rien n'annonçait cette interruption, après un début de parcours accompli comme sur du velours, sans même ralentir au niveau de la Brasserie des Brotteaux, puis de la Clinique du Parc (qui a changé d'adresse depuis), il a eu la tentation de passer malgré tout, ce qui n'aurait, objectivement, mis personne en danger, puisque aucune voiture ne se profilait depuis la rue Boileau à la perpendiculaire. Après avoir tergiversé une fraction de seconde – je passe, je passe pas, auquel cas il faut agir, soit accélérer sans risquer de s'emplâtrer dans le véhicule de devant, soit freiner, au risque de se faire percuter à l'arrière – et sans doute rattrapé par le désir d'être sage, puisqu'il avait encore dans les veines le goût pimenté de la transgression du matin, alors qu'il finissait par se plier, in extremis, à l'autorité de l'interdit, j'imagine que Claude a eu comme une petite contrariété qui a tendu ses nerfs, sans doute légèrement, je l'entends lâcher un juron modeste qui aura sifflé entre ses dents, à cause de cette redescente qu'il fallait amorcer en rétrogradant les vitesses, à cause du plaisir qu'il fallait couper, en même temps que les gaz, pour laisser place à la frustration de celui qui renonce, qui jette l'éponge. Qui se retrouve logé à la même enseigne que les automobilistes. Tous arrêtés sur la ligne de départ, tous castrés, osons le mot, tous en retard sur l'horaire qu'ils s'étaient fixé.

Il n'existait pas à l'époque, ce téléphone portable qu'on pose sur le siège et qu'on consulte à chaque temps mort, à chaque accroc de la circulation, il n'existait rien que la patience qu'il fallait pour meubler l'attente, la station de radio qu'on changeait, le pare-soleil qu'on abaissait pour ajuster une mèche de cheveux. Pour les motards, rien à faire de ces trente secondes d'immobilité imposée, si ce n'est regarder une fille qui passe, vérifier que le sac à dos est bien arrimé, et que l'heure à la montre ne s'est pas emballée. Il m'arrive aujourd'hui de surprendre un motard en train de consulter son téléphone, et de le regarder, attendrie, pianoter avec ses gants.

S'arrêter à un feu rouge est devenu une double peine, il faut se l'avouer, depuis que les pauvres, les sans-abri, les réfugiés viennent nous solliciter derrière la vitre, pour vendre le journal qui leur tiendra peut-être un peu la tête hors de l'eau, pour recueillir quelques pièces, dont personne ne sait à qui elles reviennent, et qu'on donne comme un droit de passage, un péage d'un genre nouveau. Claude disait souvent qu'aux motards on ne demande rien, on les considère comme une espèce à part, un genre de mystère sous un équipement la plupart du temps repoussant, et qui agit comme un épouvantail, adresserait-on la parole à un sca-phandrier, un apiculteur ou à un cosmonaute en partance pour la Lune ? On imagine les motards sans visage, sans parole, et sans portefeuille.

Claude s'est arrêté, normalement, prudemment devant le musée Guimet, en pole position, prêt à repartir. Il a tourné la tête vers la gauche et a vu ces adolescents qui sortaient du Muséum d'histoire naturelle, pressés par leur professeur, ce lieu que nous visitions certains dimanches d'hiver depuis que nous avions un enfant, soucieux de lui mon-trer ce que le monde avait de captivant, les planches de coléoptères, scarabées ou papillons qui se trouvaient au dernier étage sous la verrière, le squelette d'une orque géante, dont notre fils nous avait appris qu'il était le prédateur des mers le plus terrible, et portait d'ailleurs comme nom *Orcinus orca* – celui qui donne la mort –, les antilopes et le loup empaillés, les momies égyptiennes au sous-sol, et les masques asiatiques qu'Émile Guimet avait sans doute ramenés de ses voyages en Extrême-Orient, ce qui était la spécialité de cet industriel et grand collectionneur lyonnais, né comme Claude un 2 juin (c'est un détail imbécile, mais je traque du sens dans chaque détail) de l'année 1836, et qui avait contribué à la création du musée, l'un des lieux les plus harmonieux et apaisants de la ville qui, depuis, a fermé, et dont les collections ont été transférées au musée de la Confluence, dans un souci d'adhésion au monde contemporain.

Cela Claude ne l'a pas su, mais la liste serait longue si je me mettais à énumérer tout ce qu'il aura ignoré du monde qui a continué à tourner sans lui.

Quand Claude a regardé vers l'entrée du musée où étaient rassemblés les collégiens, il s'est peut-être simplement rappelé la lumière tamisée qui régnait à l'intérieur, ou le grand squelette de mammouth qui prenait tout l'espace du rez-de-chaussée, ou encore l'époque où il était lui-même collégien à Rillieux-la-Pape, pressé par des professeurs dans les escaliers de l'école et non pas du musée où personne ne conduisait les enfants de notre génération.

Que sais-je de ses dernières pensées, là devant ce groupe d'adolescents excités par l'arrivée des vacances, arrêté par ce feu qui arrêtera aussi son existence. Que s'est-il passé dans sa tête, à 16 h 24, ce mardi 22 juin, à l'extrême fin du XXe siècle.

Fredonnait-il une chanson, se repassait-il les trois notes de *Dirge* de Death in Vegas, qui tournaient peut-être en boucle dans sa tête depuis son écoute ? Chantait-il plutôt *I Wanna Be Your Dog* d'Iggy Pop, l'un de ses morceaux cultes qu'il sifflait parfois à la table de la cuisine en tapant sur une bouteille avec un couteau, pour parvenir à l'effet de verre cassé qu'Iggy utilisait en guise de rythmique, ce qui amusait notre fils qui voulait taper aussi et à qui Claude permettait seulement quelques mesures, soucieux de transmettre un héritage rock'n'roll en même temps qu'une éducation digne de ce nom.

Claude attendait que le feu passe au vert, pour entamer la dernière ligne droite avant le Rhône, qu'on peut évaluer à 300 mètres, avant le pont de la Boucle, puis la remontée vers l'école, qui a pour nom la rue Eugène-Pons, que les Croix-Roussiens connaissent bien pour son étroitesse, ses façades de canuts, son bouchon chaque matin entre huit heures et neuf heures quinze dans le sens de la descente, son école primaire à mi-pente, juste avant le virage, la dame en gilet fluo qui fait traverser et que les enfants désignaient comme *la dame qui fait traverser*, ses groupes de parents amassés devant le portail, ses grappes d'enfants qui affolent l'automobiliste.

Claude attendait et n'était plus qu'à cinq minutes de l'école. Il regardait peut-être la passagère de la voiture d'à côté, qui vérifiait dans le miroir que son rouge à lèvres n'avait pas besoin d'une retouche, mais je l'imagine plutôt un mètre devant, les deux pieds arrimés à terre, ses longues jambes bien stables sur l'asphalte de part et d'autre de la moto, le pied gauche prêt à enclencher la première, à appuyer sur le sélecteur qui actionnera la boîte de vitesses, clac, en même temps qu'il débraye de la main gauche, avant de faire jouer la poignée d'accélérateur et de se démarquer des voitures à l'arrêt.

Claude attendait, et je me demande quelle force occulte, quelle puissance invisible aurait pu agir pour qu'il ne démarre pas, pour qu'il reste là, pour qu'il n'aille pas au-devant de ce danger qui le guettera une centaine de mètres plus loin.

Ne démarre pas.

Ne joue pas ce jeu obligé de ce feu rouge qui décide pour toi quand tu stoppes et quand tu roules. Reste là à regarder les collégiens qui chahutent sur les marches du musée. Reste là à planer, perdu dans tes pensées qui te reviennent, qui te conduisent à la ZUP, dans cette classe où tu étais assis à côté de Mohamed Amini, qui deviendra le guitariste du groupe Carte de séjour, et qui t'invitera à tes premiers concerts rock. Mohamed Amini, qui vient de disparaître au moment où j'écris ces lignes, comme ton ami Rachid Taha, le chanteur du groupe, né la même année que toi en Algérie.

Reste là, ne bouge pas.

Should I stay or should I go, chante Joe Strummer, le leader des Clash, sur l'album *Combat Rock* en 1982. Que Claude connaissait par cœur, et sur lequel il lui était arrivé de danser, de cette façon qu'il avait de bouger son corps félin, encore imprégné de la gestuelle *new wave* qui le faisait alternativement tendre en avant les bras et les jambes, moulées dans un pantalon serré.

Si je n'étais pas allée à Paris le mardi 22 juin mais le vendredi 18 comme prévu. Si mon frère n'avait pas été en panne de garage. Si les Mercier n'avaient pas cédé à mon désir d'acheter leur maison. Si nous n'avions pas eu les clés à l'avance. Si ma mère n'avait pas appelé mon frère. Si je n'avais pas décliné la proposition de mon frère d'emmener notre fils en vacances. Si j'avais téléphoné depuis Paris pour dire à Claude de ne pas aller chercher notre fils à l'école. Si Claude n'avait pas pris la moto de mon frère. S'il n'avait pas laissé les 300 francs dans le distributeur. S'il avait écouté Coldplay et non Death in Vegas. Si Tadao Baba n'avait pas existé. Si les accords de libre-échange entre le Japon et l'Union européenne n'avaient pas été signés. S'il n'avait pas fait si beau. Si Denis R. n'avait pas ramené la 2CV à son père. Si le feu n'était pas passé au rouge. Pas, pas, pas, pas, pas, pas, pas.

Évidemment que Claude a démarré.

Claude a enclenché la première. Les témoins n'ont rien vu mais ont entendu le bruit sourd d'une accélération. Personne n'a rien vu, comme toujours. Que font les gens qui se promènent, de leurs yeux, de leurs sens ? Le rapport de police, que j'ai entre les mains, est formel. Claude a démarré en trombe. Comme s'il prenait part à la fameuse course japonaise pour laquelle la moto a été conçue, les 8 Heures de Suzuka. Et encore on peut imaginer qu'une course d'endurance ne nécessite pas un départ sur les chapeaux de roue. Drôle d'expression. Probable effet *wheeling*. Rien vu, tout entendu.

Claude, lui, n'était pas sourd, comme ce bruit qu'il produisait, probablement malgré lui. Il n'était pas sourd, mais souffrait d'acouphènes depuis quelques années. Provoqués entre autres par l'écoute répétée de musique à fort volume, et notamment dans les salles de concert où les décibels étaient assez peu réglementés au début des années quatre-vingt où il commençait à se rendre de façon intensive. Ces acouphènes agissaient le plus souvent la nuit, quand les bruits du dehors avaient cessé, et qu'un souffle intérieur prenait la relève, créant un vacarme qui le perturbait au point de devoir parfois se lever, marcher dans l'appartement, pour que les fréquences sonores acceptent de quitter sa boîte crânienne.

VIVRE VITE

Je crois pouvoir dire aujourd'hui que le fameux effet *wheeling* que certains conducteurs évoquent sur les sites que j'ai consultés n'a pas été voulu. Effet *wheeling*, c'est-à-dire cette roue arrière que la moto subit à cause d'un rapport mathématique qui se calcule à partir d'une équation entre le poids (extrêmement léger) de la moto et sa puissance monstrueuse.

S'agissait-il de la poignée un chouïa mal dosée, comme on aurait dit dans la famille de Claude, qui a fait que la Honda 900 CBR Fireblade s'est cabrée malgré elle et a éjecté son pilote sur la chaussée, devant l'hôtel cinq étoiles Reine Astrid, divinité venue de ce Nord définitivement perdu, qui fut reine de Belgique, jusqu'à cet accident de voiture qui lui coûta la vie en août 1935, alors qu'elle avait à peine trente ans et roulait avec son époux, le roi Léopold III, dans une Bugatti décapotable, près du lac des Quatre-Cantons en Suisse.

On peut voir toutes les coïncidences possibles, tous les signes imaginables, dans les faits, les dates, l'imbrication de tel ou tel événement. On peut voir comment la Belgique, le Japon et l'Algérie se rencontrent tragiquement sur l'asphalte de la ville de Lyon, on peut gloser, on peut chercher du sens là où il n'y en a pas, mais savoir que Claude a chuté devant l'hôtel Reine Astrid, ou osons carrément, aux pieds de la reine Astrid elle-même, c'est idiot, mais cela me fait un peu moins mal, comme s'il était allé rejoindre la reine en son tombeau. Comme si l'idée qu'une communauté des accidentés de la route existait. Ce qui repose éternellement la question de la mort isolée et fortuite, qu'on nomme accidentelle, rangée à la rubrique des faits divers, face à celles, collectives et plus respectables, qui appartiennent aux grands mouvements historiques. Glisser sur une peau de banane n'a pas le même sens que mourir sous les bombes ou les assauts d'une dictature. C'est la raison pour laquelle je cherche des partenaires. Et aussi des motifs cachés, plus ou moins tordus et fantasmés, psychanalytiques, mais pas moins sociologiques ou politiques. Il n'y a pas de raison.

Savoir que le mari d'Astrid, qui conduisait, a fait un écart alors qu'il jetait un œil sur une carte routière que sa femme peinait à déchiffrer, puis a percuté un arbre avant de terminer sa course dans les roseaux du lac, me rassure presque, mais me rend aussi perplexe. Et me fait dire que la conduite en voiture et en moto n'a rien en commun pour le passager, qui n'est jamais celui qui lit la carte routière sur un deux-roues. Il n'est jamais partie prenante de la conduite, aucune action ne le concerne, aucun conseil ne peut sortir de sa bouche, à cause du vent qui s'y engouffre, à cause du bruit du moteur, aucune de ces mises en garde parfois maladroites qui font que les couples en voiture finissent par hausser le ton et même proférer des menaces, notamment celle qui consiste à dire : *Tu m'arrêtes là et je descends.* Le duo à moto est de nature tout autre. La parole n'est pas partageable, il s'agit juste de s'accrocher et de se laisser emporter dans un devoir de légèreté. Ce qui n'exclut pas de trembler en silence, et de faire une scène une fois le trajet accompli.

Si j'avais été passagère ce 22 juin 1999, l'accident n'aurait pas eu lieu. D'ailleurs, je n'aurais pas été passagère puisque la Honda 900 CBR n'a pas de place pour deux. Ou, en regardant de près, un pauvre coussinet au-dessus de l'amortisseur, sur lequel je n'aurais jamais accepté de monter, et de me retrouver assise comme une grenouille en une posture dégradante. Tout l'inverse de cette attitude relax qui participe au plaisir de rouler en moto, pilote ou passager, comme sur la Suzuki Savage de

Claude, customisée version *Easy Rider* (en nettement moins clinquant tout de même), le film de Dennis Hopper qui avait mis sur la route des hordes de clones tentant de se rejouer le rêve américain, à une époque où ce rêve avait encore du sens.

L'heure de l'accident qui figure sur le rapport de police est 16 h 25.

Le lieu : angle boulevard des Belges/rue Félix-Jacquier.

Félix Jacquier, illustre inconnu si je peux me permettre, a tout de même la particularité d'avoir été l'un des premiers banquiers de la ville, et président des Hospices civils de Lyon de 1858 à 1867. Il a donc participé, sans le savoir, à l'accueil de Claude à son arrivée aux urgences. *Damned*, comme tout est bien huilé dans cette ville.

Claude est tombé aux pieds d'une reine et entre les mains d'un banquier. Tous les arrondissements de Lyon ne racontent pas la même histoire. Claude vivait sur la colline des Canuts, celle des travailleurs qui ont fomenté une révolte en 1831 (en même temps que la France colonisait l'Algérie), il a chuté dans les quartiers chics. J'ai beau essayer

de trouver un symbole dans cette combinaison grotesque, je bute sur une absurdité qui me déçoit.
Non, il n'y a rien à comprendre, rien à voir, autant
essayer d'essorer un linge sec. Et pourtant.

23. Si Denis R. n'avait pas décidé de rapporter la 2CV à son père

À l'heure où Claude quittait la discothèque, le conducteur de la 2CV, qui arriverait en sens inverse, celui-là même dont le nom était consigné dans le rapport de police qu'on me remettrait, Denis R., devait également prendre congé des lieux où il travaillait. Une école primaire où il était instituteur stagiaire. Ce jeune homme de vingt-trois ans, qui n'a aucune responsabilité dans l'accident, arrivait à faible allure en sens inverse au moment où Claude chutait, puis glissait sur la chaussée.

À cette même heure où Claude quittait la discothèque, Denis R. montait dans la 2CV qui appartenait à son père à qui il devait la rendre pour une mise à la casse définitive. C'était le dernier trajet de cette voiture au bout du rouleau. Denis R. n'aurait jamais dû passer sur le boulevard ce jour-là, mais il avait changé d'avis au dernier moment, il avait décidé de rapporter la voiture en sortant du travail, au lieu d'attendre le week-end. Ce serait fait, on n'en parlerait plus. C'est ce qu'il m'a confié quand nous nous sommes rencontrés, plusieurs années après.

La voiture de son père, la moto de mon frère.

J'apprendrai que Denis R. est musicien, qu'il aime la musique que Claude écoute, qu'il a monté un groupe, enregistré un album. Quand je me sentirais enfin prête à lui écrire, puis à le rencontrer, presque dix ans plus tard, j'irais d'abord le voir en concert, pour me dire peut-être simplement : *c'est lui*, pour regarder ces yeux qui ont vu, qui ont vu ce que moi je ne sais pas. Il chantait en première partie de Mathieu Boogaerts, que Claude avait interviewé quelques mois avant l'accident, je m'en souvenais parfaitement puisqu'il m'avait rapporté ce tee-shirt promotionnel jaune canari avec lequel j'ai dormi pendant des années (que j'ai gardé même s'il est totalement décoloré), sur lequel il est écrit *Super !*, du nom de l'album.

Denis R. chantait en première partie de Mathieu Boogaerts, donc, c'était au Marché Gare de Lyon, détruit lui aussi puis rénové in extremis au moment où j'écris ces lignes, au cœur du vaste chantier immobilier qui défigure le quartier de la Confluence. J'avais demandé à Marie de m'accompagner, d'autant que j'avais imaginé que j'irais voir Denis R. dans sa loge à l'issue du concert, ce que je n'avais pas eu le courage de faire, fort heureusement.

Depuis l'accident, Denis R. a enregistré plusieurs CD assez mélancoliques sur l'un desquels une chanson s'appelle *Pardon*. Qui n'a sans doute rien à voir, mais j'ai décidé que si. On peut tout faire dire à des paroles de chanson. Comme on peut trouver du sens dans n'importe quel agencement de la réalité.

L'homme de vingt-trois ans qui conduisait la 2CV et qui a porté les premiers secours est le même. Parce qu'en plus d'être instituteur et musicien, il était pompier volontaire. C'est aussi ce qu'il me dira, ce jour où nous prenons rendez-vous dans un café de la Croix-Rousse. Il me confiera les derniers mots prononcés par Claude.

Je suis rentrée de Paris par le TGV qui arrivait à Lyon à vingt et une heures, je n'avais pas eu à courir puisque l'installation Ousmane Sow sur le pont des Arts ne m'avait pas pris beaucoup de temps. J'avais même poursuivi à pied jusqu'à la gare de Lyon, pour profiter de la douceur de l'air, repensant à toutes les bonnes vibrations de la journée.

À mon arrivée, Guy me guettait au bout du quai. Il avait été mis au courant de l'accident, mais pas encore de l'issue. Il m'a juste dit que l'épaule était touchée. J'ai été étonnée de voir Guy, mais pas tant que ça. Je n'ai pas eu l'idée de lui demander comment il avait su. Nous étions projetés dans l'action. Guy a voulu me raccompagner à l'appartement. Mais une fois sur place, il est resté. Il tournait dans le salon rempli de cartons pendant que j'écoutais les messages sur le répondeur. Il n'y avait rien d'anormal, seulement un message de Christine, la maman de Louis, qui avait proposé à notre fils de dormir chez eux après l'anniversaire. Et deux appels en absence. Guy refusait la bière que je lui proposais.

Guy était bizarre mais je ne le remarquais pas. Tout était détraqué mais cela ne me perturbait pas. Mon cerveau était sans doute déjà atteint, déjà en train d'actionner la touche « déni ». Guy a proposé que nous nous rendions à l'hôpital pour prendre des nouvelles. Il lui était impossible de ne pas bouger. Oui bien sûr, il nous fallait aller sur place. Guy conduisait dans les rues de Lyon désertes. Il fumait les vitres ouvertes, il m'offrait des cigarettes, je fumais avec lui dans la chaleur du soir. Il ne faisait pas encore nuit, le jour s'étirait, j'étais loin d'imaginer. J'arrivais de cette journée parisienne si pleine de bons signes à propos du roman à paraître, remplie de cette rentrée littéraire à venir. J'avais un livre pour Claude dans mon sac, glissé dans une enveloppe, *Nico*, ce roman qu'il ne lira pas.

À l'hôpital Edouard-Herriot, Guy s'est présenté au bureau des entrées, mais c'était encore trop tôt pour qu'on le renseigne, j'ai attendu dans la voiture, je ne trouvais toujours rien de suspect. Guy était nerveux et

silencieux, mais il est toujours ainsi. Même pendant
les nombreux week-ends que nous passions ensemble,
avec Michelle, Philippe et Béatrice, dans la ferme
qu'un agriculteur lui prêtait dans la campagne bres-
sane. Nous sommes rentrés à l'appartement une nouvelle fois, j'ai une nouvelle fois interrogé le répondeur,
sans que rien de nouveau ne se soit produit. Guy a re-
refusé la bière que je lui proposais. Il a voulu téléphoner. En raccrochant, il m'a dit que c'était grave. Je n'ai
pas osé demander. Je ne voulais sans doute pas savoir.
Guy avait le visage fermé, mais il a souvent le visage
fermé, même quand nous cueillons des champignons
dans les prés, même quand il allume le feu dans le
poêle à bois. Je suis remontée dans la voiture et je me
suis laissée conduire. J'ai laissé Guy prendre les choses
en main. Nous avons roulé, je me souviens d'un
temps très long.

Vers minuit, après de nouvelles tentatives
d'approche du bureau des entrées, Guy m'a invitée
à descendre de la voiture. J'avais la sensation que
mes sandales étaient un peu trop grandes, il fallait
rajuster la bride. Je faisais ce que Guy me demandait. Après un moment de flottement où je voyais
Guy apparaître puis disparaître, tantôt de face,
tantôt de dos, une femme m'a parlé sur le parking,
je ne sais pas d'où elle est sortie. Tout était sombre

autour. J'ignorais qu'elle était médecin urgentiste. C'est elle qui a prononcé la phrase qui coupe ma vie en deux : *On n'a rien pu faire.* La phrase qui marque l'avant et l'après. La pliure aiguisée comme une lame. Ça s'est passé sur un parking, pas d'arrière-plan. Son visage dans la nuit, je ne saurais pas le reconnaître.

Il m'a fallu des semaines pour connaître l'heure de la mort de Claude. 21 h 30. L'hôpital me baladait de service en service quand je téléphonais. On m'avait demandé une fois pourquoi je tenais à *cette information.* Je savais, intuitivement je savais, mais je voulais en être sûre, je voulais qu'on me dise qu'il m'avait attendue.

J'apprendrai plus tard que la médecin urgentiste du parking était par ailleurs l'épouse du notaire, l'ami de Guy si arrangeant. Là encore, il n'y a rien à comprendre, simple hasard. Simple mouvement chorégraphique.

Des rencontres, des amitiés, des interférences, des services rendus. Des week-ends à la campagne. Des coïncidences. La vie dans sa fluidité.

Il n'y a rien à comprendre, chacun joue son rôle. Chacun bien à sa place dans la ville, en toute légitimité : le médecin, le notaire, l'instituteur, le pompier, le policier, le bibliothécaire, le banquier, le curé. Ça s'appelle une société.

Tout est si bien huilé. Ça fonctionne, ça dys-fonctionne, pour le meilleur et pour le pire.

Le journaliste, l'employé des pompes funèbres, l'écrivain.

Il n'y a pas de si.

L'ÉCLIPSE

Tout le monde parlait de l'éclipse. Tu n'aurais pas imaginé, chacun cherchait les lunettes appropriées pour regarder le soleil supposé disparaître derrière la lune en pleine journée. Il n'était question que des lunettes qu'on pouvait trouver dans les bureaux de tabac, à Monoprix, sur les stands du marché. Les lunettes homologuées et les autres, des contrefaçons qu'il fallait éviter sous peine de se brûler la rétine. L'éclipse occupait ce dernier été du siècle. C'était une dernière fois l'été, une première fois l'été sans toi.

Paco Rabanne annonçait la fin du monde avec le crash de la station Mir sur Paris, et je lui étais reconnaissante d'apporter enfin une nouvelle qui me concernait. Je voulais le croire, je voulais lui donner raison, nous serions tous enfin engloutis, tous égaux, mais je ne pouvais confier à personne cette mauvaise pensée.

Le 11 août, je n'avais rien de prévu, pas plus que le 10 ou le 12, la semaine désespérément vide. J'entrais dans cette longue plage de temps comme si j'avançais dans un vaste terrain vague. C'était la quinzaine où Théo était en colonie de vacances. Je ne savais pas s'il fallait maintenir son séjour à la campagne ou annuler, s'il fallait rajouter du désordre à la folie. Notre vie était devenue une telle anomalie. Qu'aurais-tu fait à ma place ? Tout se justifiait, et comme j'étais seule à décider désormais, je ne parvenais pas à avoir une pensée claire. Je ne changerais rien à ce qui avait été prévu, on avait mis tant de soin à choisir ce séjour. J'avais glissé dans le sac de Théo les fameuses lunettes. On aurait au moins ça à raconter, puisque la chose énorme qui nous frappait nous laissait sans mots.

Quand il regarderait l'éclipse, peut-être penserait-il à moi qui verrais la même chose que lui. Lui et moi reliés au même instant, perdus au cœur du Système solaire.

Il penserait sans doute à toi, son astre qui disparaissait derrière la lune.

Je m'étais levée si tard que le soleil était déjà haut, et l'éclipse était programmée pour 11 h 22. J'avais besoin de ce chiffre 22 qui revenait. J'ai démarré la voiture après être restée exagérément longtemps sous la douche. J'ai franchi les kilomètres qui me séparaient de la maison de mes parents, sans allumer l'autoradio (je ne pouvais plus écouter de musique, je comprenais Marguerite Duras qui disait à quel point la musique pouvait la dévaster, ce que j'avais jusqu'alors pris pour une déclaration un peu poseuse). Autoroute, vacanciers, remorques, bateaux à moteur, couples, enfants, la vie qui coule comme d'un robinet d'eau tiède.

La vie des autres.

J'avais trente-six ans et j'allais chez mes parents pour regarder l'éclipse. J'espérais que Paco Rabanne avait raison.

Drôle d'animal ce Paco que j'aimais soudain, lui aussi avait perdu son père jeune, fusillé par Franco, je me disais que si Paco Rabanne y était arrivé, Théo devrait y arriver, je pensais par association d'idées, ça me traversait n'importe comment, un père fusillé et vingt ans plus tard, l'enfant devenu adulte signait un défilé avec ces douze robes *importables* faites de métal, de verre, de cuir, qui révolutionnaient l'esthétique. L'enfant devenu couturier

199

était le premier à faire défiler des filles noires, il emmerdait le monde ce Paco qui commençait à sortir de son corps à l'âge de sept ans pour faire des voyages astraux dans lesquels il vivait d'autres vies, toutes extravagantes, d'autres vies que celle qui l'avait jeté dans les camps d'Argelès, avec sa mère médium et le fantôme de ce père absent.

En cet été, tout le monde se moquait de Paco Rabanne, bien sûr qu'on avait envie de le tourner en ridicule, un type qui se prétendait basque descendant des Atlantes, qui annonçait la destruction de Paris et la fin du monde parce qu'il se fiait aux prédictions de Nostradamus, un type qui affirmait que l'année 1999 serait le moment de la grande explosion, il y en avait un paquet que cette prophétie n'arrangeait pas du tout, mais alors pas du tout.

Alors que moi, ça me libérait, je priais, au volant de ma voiture, pour qu'à 11 h 22 le ciel s'assombrisse, puis soit de plus en plus noir et menaçant, mangé par les ténèbres et bientôt par un brasier qui ferait flamber la Terre comme une torche. J'aurais juste voulu avoir Théo contre moi.

Mon père a surgi derrière le portail, fébrile, alerté par le bruit de la 106, il a consulté sa montre et m'a pressée. Pas question de prendre un café ni de se laisser tomber dans un fauteuil. Pas question de se demander comment on va (de toute façon, ça, on n'y arrivait pas). Il m'a tendu les lunettes qu'il avait prévues pour nous trois, distribuées avec son abonnement au *Progrès*, et nous a obligées à nous tenir debout sur la terrasse, ma mère d'un côté et moi de l'autre. Nous apparaissions comme des personnages peints par Edward Hopper, figés devant le paysage, un peu raides et empruntés en attendant que le spectacle commence. Je n'avais pas regardé vers l'horizon depuis le jour de l'accident, effrayée par la beauté qui m'était devenue inaccessible (ma cousine m'avait emmenée à Giverny en juillet, pour que je reprenne mon souffle, j'avais essayé d'apprécier les nymphéas tout ça, j'étais encore en plein déni, je percevais le monde comme à travers une vitre, c'était le début d'un long parcours où j'aurais la sensation de voyager assise à côté de moi).

Tu étais peut-être dans le ciel après tout, comme l'avait dit la tante Olivia à Théo le jour de tes obsèques (*Ton papa va monter au ciel*, Théo avait dû avaler des phrases comme ça, pendant qu'on me glissait à l'oreille : *Ce qui ne te tue pas te rend plus fort*), mais je scrutais le ciel bien plus que je

201

n'aurais dû, et heureusement mes lunettes de carton me protégeaient.

Les voisins se sont installés dans leur potager et ont fait un signe à mes parents. Un vol d'hirondelles a plongé en piqué avant de disparaître. Un chien a aboyé jusqu'à gémir de plus en plus faiblement. Tout est devenu silencieux. Tout était lourd et inquiétant. La chaleur de la terrasse a reflué et l'ombre a gagné, j'ai senti le chaud qui se changeait en froid, comme si le sang se retirait de mes veines et de mon corps tout entier.

Ça fait vingt ans et je dois me résoudre à rendre les armes. Quitter la maison c'est aussi te laisser filer.

La nature qui m'entoure se changera en béton et le paysage disparaîtra. Comme disparaît parfois le son de ta voix.

Après ce si long voyage.

Après cette folle traversée où ta chute a entraîné toutes les manières de tomber. Toutes les façons de se relever. Toutes les façons de te retrouver. Il y a eu tant de signes, tant de coïncidences, tant de rendez-vous secrets. La vie inavouable. Il y a eu la sensation que tu te fondais en moi. Que je devenais homme et femme à la fois.

Il y a eu les amis qui ont construit une digue, qui m'ont aidée à repeindre la maison. Il y a eu les livres que j'ai écrits, ces mots comme des briques qu'il me fallait cimenter malgré tout. Il y a eu Théo et son inventivité, ses idées pour te ressusciter, puis pour nous sauver. Et cet anniversaire où j'ai dansé sous le regard des autres, mes quarante ans. Il y a eu les premières fois, la sensation du danger qui s'éloignait, puis cette liberté inattendue, effrayante, qui me faisait courir tous les risques. Il y a eu le vertige du nouvel amour malgré le manque. Le désir et le chagrin mêlés, toutes ces contradictions, la vie comme dans un tambour de machine à laver.

Il y a eu la fidélité et la culpabilité.

Les grands mots.

La vie double, qui pulse comme une chanson des Sparks.

Je dois faire les cartons une nouvelle fois, protéger tes disques, emballer tes instruments de musique.

Le chant des oiseaux sera recouvert par les bruits de moteur. Toujours les carburateurs. Des bulldozers viendront raser ce qui était encore vivant.

Ça fait vingt ans et ma mémoire est trouée. Il m'arrive de te perdre, je te laisse sortir de moi.

Il me faut parfois me concentrer pour reconstituer tes traits. Cela, je ne l'aurais jamais imaginé. Pour accéder à tous les détails. Je dois convoquer une scène très particulière pour capter ton regard. Je ne parle pas de tes yeux, dont je sais par cœur l'intensité du velours noir, mais de ton regard. Je dois me concentrer et faire resurgir ce moment que j'avais photographié mentalement, je me souviens que je m'étais dit à cet instant : si jamais.

Je pense que tout le monde joue à cela. Fixer une image. Si jamais.

Tu étais accroupi dans la salle de bains, tu cherchais un objet dans le meuble sous le lavabo, sans doute ce flacon de gel (dont j'aimais l'odeur) avec lequel tu domptais l'épaisseur de tes cheveux, c'était dans l'appartement quelques semaines avant le déménagement. J'étais entrée et tu avais sursauté. Comme si tu m'en avais voulu de pousser la porte à l'improviste, et moi j'avais été surprise de te trouver là, torse nu, comme désarmé. Tu avais levé les yeux vers moi, la lumière arrivait dans ton dos, depuis la fenêtre entrouverte. Tu étais très beau.

Il y avait dans ton regard quelque chose de fragile et d'émouvant. Comme si tu surgissais d'ailleurs. Toi près du sol, moi debout en surplomb. Et ces épaules, ces biceps presque adolescents. Avant de refermer la porte, j'avais bafouillé un bout de phrase avec « pardon » dedans, un « pardon » de connivence. Cette fausse pudeur que tu avais jouée en retour. Cette esquisse de sourire complice. J'avais gardé ce regard, ce sous-entendu qui en disait long, en m'éloignant dans le couloir.

J'avais gardé aussi ton intonation quand tu avais demandé, in extremis : *Ça va ?* tu avais juste dit cela : *Ça va ?*, de cette voix grave et légèrement éraillée, comme si tu voulais être sûr qu'il n'y avait aucune ombre.

Je tournais le dos, quelque chose avait eu lieu.

J'étais rassurée.

Imprimé en France par CPI
en mai 2022

Cet ouvrage a été mis en pages par

<pixellence>

Dépôt légal : août 2022
N° d'édition : L.01ELJN000546.N001
N° d'impression : 169604